STEM UIT HET VERLEDEN

Henny Thijssing-Boer

Stem uit het verleden

ISBN-10: 90 5977 139 7
ISBN-13: 9789059771390
NUR 344

Omslagillustratie: Herry Behrens
Omslagbelettering: Van Soelen, Zwaag
www.vclserie.nl
ISSN 0923-134X

1

Na een snelle blik op de klok keek Saskia Linthorst haar man aan en zei plagend: „Het is halftien, bedtijd, Olav!"

Hij ging er in volle ernst op in. „Je hebt gelijk, ik heb morgen vroege dienst, het is voor mij inderdaad tijd om onder de wol te kruipen. Als ik vroeger had geweten dat de wisselende diensten me op latere leeftijd wat zwaar zouden gaan vallen, betwijfel ik of ik treinconducteur was geworden. Maar ja, omkijken heeft geen nut, ik zal mijn schouders eronder moeten blijven zetten." Hierna stond hij resoluut op, gaf zijn vrouw een nachtzoen en streek in het voorbijgaan zijn dochter Andra liefdevol over haar honingblonde haren. Olav had het vertrek nauwelijks verlaten toen Andra haar blauwe ogen vragend opsloeg naar haar moeder. „Ik kreeg de indruk dat pap een hekel aan zijn werk begint te krijgen. Ik hoop dat ik me vergis, want hij is pas zevenenveertig, het duurt nog even voordat hij met pensioen kan gaan!"

Saskia stelde haar dochter gerust. „Pap heeft de hele week vroege diensten moeten draaien en dat betekent dat hij niet één avond lekker languit voor de televisie heeft kunnen zitten. Er waren van de week een aantal voetbalwedstrijden die hij node heeft moeten missen en dat heeft zijn humeur geen goed gedaan. Wat hij daarnet zei, was niet veel meer dan zelfbeklag en hem kennende weet ik dat hij daar nu alweer spijt van heeft. Hij doet zijn werk normaal gesproken met plezier, dat zal volgende week weer blijken als hij een voor hem prettiger werkrooster krijgt."

„O, nou ja, gelukkig dan maar voor hem," oordeelde Andra. Ze geeuwde achter haar hand, terwijl ze verder praatte: „Ik denk dat ik het vanavond ook niet laat maak. Morgen is het vrijdag, mijn laatste werkdag van de week, dan staat het weekeinde voor de deur en daar verheug ik me op! Heb ik al gezegd, mam, dat ik morgen na mijn werk meteen naar Vera ga en dat ik pas maandagavond weer thuiskom?"

Daarop zei Saskia met een verongelijkt gezicht: „Nee, dat had je me niet verteld, maar ik hoor er niet van op. Je bent de laatste tijd meer bij je vriendin dan bij ons thuis, het zou me al niet meer verbazen als je besloot voorgoed bij haar in te trekken. Wat let je..."

Andra staarde haar moeder stomverbaasd aan. „Wat doe je nou opeens raar! Je kijkt alsof ik ik-weet-niet-wat op mijn geweten heb en je stem klonk behoorlijk pinnig. Wat is er plotseling met je aan de hand? Ik ben me van geen kwaad bewust, hoor!"

„Nee, jij vlindert onbekommerd door je leventje zonder aan ons te denken. Ik heb maar één dochter. Snap je dan niet dat ik je graag thuis heb? Het is begin januari, de feestdagen van december behoren alweer tot het verleden. Maar je mag wel weten dat ik er nog vaak op terugkijk. En zeker niet met plezier, want de kerstdagen waren zonder jou verre van leuk en dat geldt ook voor oudejaarsavond en nieuwjaarsdag. Het zit me gewoon dwars dat Vera Dexter bij jou vóór ons gaat." Saskia had haar zegje gezegd en sloot haar mond. Het ontging haar dat die van Andra van louter ongeloof openviel. Haar stem klonk aangedaan toen ze tegen haar moeder zei: „Hier schrik ik van, dit had ik van jou niet verwacht, mam...! Je weet dat Vera het momenteel erg moeilijk heeft. Snap je dan niet dat ik er voor haar moet en wil zijn? Vera heeft in een tijdsbestek van ruim een jaar, allebei haar ouders verloren; dat is niet niks, hoor mam! Haar vader overleed na een afschuwelijke lijdensweg aan slokdarmkanker, zoals je weet, haar moeder overleed nog maar drie maanden geleden in haar slaap aan een hartstilstand. Het mag dan een zachte dood zijn die velen zich zullen wensen, zoals vaak wordt beweerd, maar Vera kan haar moeder niet missen. Ze heeft verdriet en dat probeer ik voor haar te verzachten door zo veel mogelijk bij haar te zijn. Toe mam, waarom begrijp je dat nou niet...?"

Saskia keek nog steeds verongelijkt. „Vera weet dat de deur van ons huis voor haar wagenwijd openstaat. Ze had de kerstdagen bij ons kunnen doorbrengen, evenals oud en nieuw. Ik heb haar voor die dagen zelfs uitgenodigd, maar ze reageerde er niet op. Moet ik daar begrip voor opbrengen dan?"

„Je had in ieder geval even verder moeten kijken dan je neus lang is. Sorry, mam, dat ik zo tegen je praat, maar het is gewoon zo. Ik was erbij toen jij Vera uitnodigde en zo hoorde ik ook dat je er meteen achteraan zei dat het huis gezellig vol zou zijn met vrienden en bekenden. Nou, en daar schrok Vera van terug, waardoor ze je uitnodiging niet kon aannemen. Vera heeft mij gezegd hoe erg ze dat voor jou vond, maar ik heb haar gerustgesteld. Omdat ik begreep dat een mens als zij, met ontzettend veel stil verdriet in zich, al die vrolijk pratende en lachende mensen niet om zich heen kan verdragen. Jij kent Vera toch, je weet hoe gevoelig van aard zij is. Mam, waarom zeg je nou niets...?" liet ze er zacht op volgen toen Saskia naar haar smaak te lang bleef zwijgen.

Nu keerde Saskia haar gezicht naar haar dochter en beschaamd bekende ze: „Je hebt me de ogen geopend, lieverd. Ik zie het tafereel dat jij schetste, nu opeens voor me en voel hoe Vera zich tussen ons gevoeld zou hebben. Een jong mensenkind, eenzaam tussen velen, met een hart vol verdriet om hen die ze niet missen kan. Neem me niet kwalijk dat ik me gedroeg als een egoïstische moeder..."

„Je hoeft je er niet voor te verontschuldigen dat je veel om me geeft, want daar ben ik alleen maar blij mee. Ik houd ook ontzettend veel van jou en van pap, maar zeker niet minder van Vera. Ze is mijn hartsvriendin; we gaan al zo verschrikkelijk lang met elkaar om dat het soms net is alsof we met elkaar vergroeid zijn. Ik weet niet hoe ik het precies moet uitdrukken; het is gewoon heel intens. We deden en doen altijd alles samen. Na de havo hadden we allebei schoon genoeg van het naar school gaan; we wilden werken, een maandsalaris verdienen. En in ons geval kon het haast niet uitblijven dat we, als afgesproken, allebei een leuke kantoorbaan vonden. Vera werkt nog altijd met veel plezier op het uitzendbureau waar ze destijds begon en ik kan me niet voorstellen dat ik niet meer op 'mijn' belastingadvieskantoor zou werken. Vera en ik, we kunnen gewoon niet zonder elkaar," besloot Andra.

„Ja, lieverdje, dat weet ik als geen ander. Ik schaam me dan ook dat ik dat door louter zelfzucht vergat. Jullie kennen elkaar inderdaad al lang, al van af de tijd dat jullie als kleine hummeltjes voor het eerst naar school gingen en op die dag meteen al vriendinnetjes werden. Maar ver daarvóór kende ik Vera al als baby. Ik herinner me nog goed dat ik haar moeder, Riet Dexter, op een keer in het park trof en met haar aan de praat raakte. Riet en ik, we liepen toentertijd allebei achter een kinderwagen trots te wezen op onze baby's. Het was voor het eerst dat we elkaar zagen, Riet vertelde me dat zij en haar man nog maar een paar weken in Groningen woonden. Daarvoor hadden ze in Rotterdam gewoond, waar ze allebei geboren en getogen waren. Vanwege minder prettige omstandigheden, die ze tegen mij niet verder uitdiepte, waren zij en haar man Sjoerd tot het besluit gekomen ergens helemaal opnieuw te beginnen. Sjoerd was in Rotterdam leraar aan een basisschool en toen hij een vaste aanstelling kon krijgen op een dorpsschool in de provincie Groningen, ver weg dus van Rotterdam, greep hij deze voor hem unieke kans met beide handen aan. Het kleine, knusse dorpje lag onder de rook van de stad, maar ze besloten niet in het dorpje, maar in de stad te gaan wonen. Ze waren gewend aan het stadsleven en dus kochten ze destijds het huis bij ons in de buurt, waar Vera helaas alleen in achter zou blijven. Maar dat konden die mensen toen gelukkig nog niet bevroeden. Ik vond Riet Dexter van meet af aan een aardig mens, maar ik verbaasde me er wel over dat zij op haar leeftijd nog achter de kinderwagen liep!" Hier viel Andra haar moeder in de rede. „Wat jij nu allemaal, in gedachten verzonken lijkt het net, zit op te dreunen, is voor mij geen nieuws mam! Ik was van kleins af aan bij Vera's ouders kind aan huis en toen ik er de leeftijd voor had, is hun voorgeschiedenis mij door zowel mevrouw Dexter als Vera zelf verteld. Ik weet dus waar jij je toentertijd over verbaasde: mevrouw Dexter was destijds inderdaad geen jong moedertje! Zij was maar liefst vierenveertig toen ze Vera kreeg, haar man nog een paar jaar ouder. Vergeleken bij de meeste andere kinderen heeft Vera altijd oude ouders gehad, maar dat heeft ze zelf niet zo ervaren, zegt ze. Vera kijkt terug op een fijne jeugd, op ouders die haar met zorg en liefde hebben omringd. Mevrouw Dexter noemde Vera graag „mijn kleine wonder" en als ze dat zei, verscheen er een heel aparte blik in haar ogen."

„Bij die uitspraak van haar kan ik me wel iets voorstellen," zei Saskia bedachtzaam. „Je hoort het wel vaker dat een vrouw op latere leeftijd zwanger raakt terwijl ze in de veronderstelling leeft dat ze volop in de overgang zit. Bij Riet Dexter lagen de zaken echter iets anders. Zij was maar liefst vierenveertig toen ze zwanger werd van – nota bene haar eerste kind! Ze heeft er niet met mij over gesproken; ik neem gewoon aan dat zij niet beter wist dan dat ze onvruchtbaar was. Het moet een schok voor die vrouw zijn geweest om te mogen ervaren dat ze toch nog moeder zou worden. Dat ze dankbaar en blij met haar kindje was, kon je merken aan de manier waarop ze met haar baby omging. Het kindje was meer dan welkom in het schoolmeestersgezinnetje en dát is het belangrijkste. Zullen wij onszelf op een wijntje trakteren of wil je liever naar bed?"

„Nee, in tegenstelling tot eerder op de avond heb ik nu

totaal geen slaap meer. Ik vind het heerlijk om zo ongestoord met jou te zitten kletsen; daar kwam de laatste tijd niet veel meer van. En ik moet je bij voorbaat waarschuwen," zei ze ondeugend lachend, „dat dit in de toekomst ook niet dagelijks zal voorkomen. Want soms, mam, moet Vera vóór jou gaan, maar daar heb jij nu gelukkig alle begrip voor."

„Ja, ik kan mijn gezonde verstand gelukkig weer voorop laten gaan. Ik hoop innig dat Vera over een bepaalde tijd haar verdriet om haar ouders een plekje zal weten te geven, zodat ze weer aan zichzelf zal kunnen toekomen. Net als jou gun ik Vera al het geluk van de wereld."

Saskia stond op en terwijl zij de glazen en de fles wijn tevoorschijn haalde, bedacht Andra dat Vera en zij dat wat voor hen het geluk van de wereld betekende, al aan het omarmen waren. Daar wist mam nog niets van en daar moest maar liever zo snel mogelijk verandering in komen, besloot ze. Saskia had haar plaats nauwelijks weer ingenomen toen Andra zei: „Zal ik je eens een heel leuk nieuwtje vertellen, mam...?"

Aan de lichte blos op Andra's wangen en de warme gloed in haar ogen wist Saskia onmiddellijk hoe laat het was. Ze reageerde lachend. „Jouw vader lijkt bij tijd en wijle helderziend, want hij voorspelde me een paar dagen geleden al dat jij weer eens verliefd bent! Ik vraag me af wie het deze keer is en hoe lang het zal duren. Vera en jij, jullie zijn allebei nog maar twintig jaar, maar jullie hebben al een paar 'liefdes' achter de rug. Dat is geen verwijt, hoor schat, het hoort erbij als je jong bent. Dan moet je zoeken voordat je de ware Jacob ontmoet. Vertel eens, is het een leuke jongen?" Saskia keek haar dochter vertederd aan. Andra stak geestdriftig van wal. „Hij is niet alleen verschrikkelijk knap, maar vooral ontzettend lief! Hij heet Eiko Hoogendijk en hij is vierentwintig jaar. Hij is een mooie man om te zien. Dat zeg ik niet omdat ik smoorverliefd op hem ben; het is echt waar!

Hij heeft een fors postuur, is breedgeschouderd en slank in de taille. Hij heeft gitzwart haar en lichtgrijze ogen en hij heeft een hele mooie lach over zich, waar ik geen genoeg van kan krijgen. Ik kan aldoor wel naar hem kijken!"

Andra nam een slokje van haar wijn. Saskia bedacht glimlachend dat alleen een jong, smoorverliefd meisje zo kon praten. Omdat ze begreep dat het onderwerp voor Andra bijzonder belangrijk was, toonde ze belangstelling door te vragen: „Wat doet Eiko Hoogendijk voor de kost, of studeert hij nog?"

Andra schudde haar hoofd. „Eiko werkt in de zaak van zijn vader; hij is diens rechterhand, zoals dat heet. Zijn vader heet Frank, zijn moeder Mieke en ze hebben een winkel waar ze alles verkopen wat van doen heeft met zonwering. Je weet wel; luxaflex, rolgordijnen en -luiken, zonneschermen voor balkons, markiezen, screens en noem maar op. Ze leveren ook horramen en -deuren om insecten buiten te houden, ach en nog veel meer. Het is een behoorlijk grote zaak, waar Eiko heel erg trots op is!"

Saskia glimlachte vertederd. „Jij vertelt er zo enthousiast over dat het net is alsof jij ook al trots bent op de zaak van je vriendje!"

Andra trok met haar schouders. „Jij noemt hem een beetje laatdunkend mijn vriendje en daar proef ik uit dat jij me niet serieus neemt. Maar met Eiko is het heel anders dan met de vorige jongens met wie ik iets had. Dat waren er overigens maar twee! Toen was ik slechts een poosje verliefd; vervolgens had ik het al gauw weer gezien. Met Eiko zit het veel dieper: het is voor ons beiden heel zeker geen bevlieging. We houden van elkaar, dat kun je geloven of niet."

„Je zegt het zo overtuigend dat ik er niet meer aan durf te twijfelen. Ik ben blij voor je, maar is het niet een beetje sneu voor Vera? Ik denk namelijk dat Eiko nu vóór haar zal gaan en dat zij genoegen zal moeten nemen met een tweede plaats?"

Andra wierp haar moeder een bestraffende blik toe. „Hier laat je mee blijken dat je onze vriendschap schromelijk onderschat! Vera en ik keken nog niet eens naar jongens om toen we al afspraken dat áls er later mannen in ons leven zouden komen, zíj genoegen zouden moeten nemen met een tweede plaats. En precies zo denken wij er nog over! Vera en ik, wij laten elkaar voor niets en niemand los! Ik weet dan ook wel zeker dat ik me niet zo snel aan Eiko was gaan hechten als Vera niet tegelijkertijd haar hart had verloren. Nu zie ik een gloed van verwondering in je ogen, maar het is echt waar! Vera en ik hebben allebei de man van onze dromen gevonden!" Andra schonk haar moeder een stralende lach, maar voordat Saskia haar mond open kon doen, ratelde Andra alweer verder. „Een tijdje geleden kwam er een nieuwe kracht op het kantoor van het uitzendbureau werken en net zoals dat bij haar collega's het geval was, werd hij aan Vera voorgesteld. Ik ken hem inmiddels ook, hij heet Cas Sieverts, hij is vijfentwintig jaar en werkelijk een schat van een man. Hij is niet zo knap als Eiko, maar dat zeg ik natuurlijk niet hardop tegen Vera. Zij is helemaal weg van zijn bruine ogen, van heel zijn uitstraling. Een aantal weken geleden gingen Vera en ik als gewoonlijk naar een gelegenheid waar we er zeker van zijn dat we er bekenden en vrienden kunnen verwachten en die avond was Cas er opeens ook. Mét zijn vriend, Eiko dus! Nou, je begrijpt dat we aan de praat raakten, het was beregezellig en later op de avond hebben we met ons vieren bij Vera thuis nog een afzakkertje genomen. Sindsdien gaan we met ons vieren in de stad uit, maar het gebeurt ook regelmatig dat Cas en Eiko naar Vera's huis komen en dat we het daar met ons viertjes gezellig hebben. We hoeven trouwens nooit naar onderdak te zoeken, want net als Vera woont Cas alleen in het huis van zijn overleden ouders en zodoende kunnen we het ook ongestoord gezellig hebben in zijn huis." Andra sloot haar rebbelgrage mond. Saskia zei: „Nu weet ik toch werkelijk niet wat ik hoor! Je vertelde daarnet dat Cas vijfentwintig is en nu hoor ik dat die jongen, zo jong nog, ook allebei zijn ouders al heeft verloren. Maar dat is ronduit vreselijk...!"

„Dat is het ook," beaamde Andra. Het blijde van daarstraks had haar gezicht verlaten. Ze keek bedroefd toen ze vertelde: „Het is twee jaar geleden dat de ouders van Cas, Ivo en Brenda Sieverts, op de terugreis van een vakantie in Zwitserland om het leven kwamen toen de bus waarin ze zaten, van de weg raakte en in een diep ravijn terechtkwam. Een aantal reizigers overleefde het ongeluk, de ouders van Cas helaas niet. Zij waren overigens niet zijn biologische ouders; ze hebben Cas als baby geadopteerd. Voor Cas is dat een gegeven waar hij geen waarde aan hecht; voor hem waren het zijn ouders. Hij was dol op hen."

Andra zweeg opnieuw. Saskia verzuchtte: „Wat is er toch een leed in de wereld. Sommige mensen krijgen gewoon veel te veel te verstouwen. Arme Cas. Ik ken hem niet, maar toch heb ik met hem te doen."

„Hij verdient inderdaad medelijden," oordeelde Andra, „en daarom is het alleen maar goed dat Vera en Cas elkaar hebben mogen ontmoeten. Juist omdat ze allebei hetzelfde hebben meegemaakt, kunnen zij elkaar als geen ander aanvoelen en elkaar tot steun zijn."

„Ik ben echt blij voor Vera en Cas en nu hij jouw taak over kan nemen, reken ik erop dat jij binnenkort weer wat meer thuis zult zijn. Daar verheug ik me op."

Het speet Andra dat ze de hoop in haar moeders ogen moest doven. Ze wilde echter eerlijk zijn en biechte op: „Ik ben in het begin van ons gesprek niet helemaal eerlijk tegen je geweest. Het is niet alleen vanwege Vera dat ik nog maar zo weinig thuis ben; ik vind het heerlijk om de weekeinden met ons viertjes door te brengen. Het spijt me voor jou, maar dat wil ik graag blijven doen. We hebben het echt geweldig fijn samen, we genieten van elkaar en van de dingen die we gezamenlijk ondernemen. Soms gaan we in de stad uit, maar meestal komen Eiko en Cas naar Vera's huis. En je hoeft niet zo bedenkelijk te kijken, want aan het eind van de avond gaan de jongens keurig weer naar hun eigen huis! Ik snap best wel dat jij en pap mij graag wat vaker om jullie heen hebben, maar zo zou jij moeten willen begrijpen dat wij graag met ons viertjes zijn. Cas en Eiko zouden zich hier bij jullie op visite voelen, ze kleuren hun weekeinde liever op een andere manier in. Dat is toch niet zo moeilijk te bevatten, mam...?"

„Nee, ik vraag me nu echter wel af of wij hem ooit te zien krijgen, onze toekomstige schoonzoon. Of loop ik hiermee te hard van stapel?" Saskia lachte haar aanstekelijke lach. Andra was de ernst zelve toen ze zei: „Het zal heus nog een paar jaar duren voordat het zo ver is, maar dat Eiko en ik ooit samen in het huwelijksbootje zullen stappen, is een ding dat zeker is! En dan zullen jullie het ook zonder mij moeten doen. Misschien is het wel goed dat ik je daar alvast aan laat wennen!" Andra wierp haar moeder een guitige blik toe, die Saskia glimlachend in ontvangst nam en die haar deed zeggen: „Slim als je bent, heb je ons altijd al om je vingertje kunnen winden en daar ben je nu weer druk mee bezig. Maar het is goed, ik ben tijdens ons gesprek tot het besef gekomen dat jij allang geen onnozele puber meer bent. En ook niet meer alleen óns meisje; we zullen je voortaan met Eiko moeten delen."

„Dat mag voor jullie geen straf zijn. Eiko maakt mij gelukkig, we houden van elkaar!"

„Ja, schat, daar heb je me van kunnen overtuigen en ik ben er meer dan blij mee. Jouw geluk is ons geluk, zeggen pap en ik vaak tegen elkaar. Maar in het geval van jouw nieuwe liefde kunnen wij pas gerust zijn als we met eigen ogen hebben gezien dat Eiko Hoogendijk oprecht van onze dochter houdt! Jullie zullen je dus toch heus eens een keer los moeten maken van Vera en Cas, zodat je samen naar ons toe kunt komen. En dit is geen smekend verzoek, maar een eis, hoor Andra!"

„Hè mam, wat doe je soms hopeloos moeilijk! Natuurlijk kom ik Eiko binnenkort aan jullie voorstellen en net zo vanzelfsprekend is het dat hij hier na verloop van tijd regelmatig over de vloer zal komen. Ik kan het niet stellen zonder Vera en Eiko, maar ook zeker niet zonder jullie!"

„Kijk, dát wilde ik even horen," zei Saskia lachend, „en nu stuur ik je als een strenge moeder naar bed! Ik wil dat jij morgen fris als een hoentje op kantoor verschijnt!"

„Je hebt gelijk. Zoals zo vaak!" Andra stond op, ze omhelsde haar moeder en even zacht als welgemeend zei ze: „Ik houd van je, mam. Ik moet er niet aan denken dat ik jou of pap zou moeten verliezen. Beloof me dat je tot in lengte van dagen bij me zult blijven..."

„Ik zal mijn best doen en bovendien zal ik erom vragen of ik lang, heel lang van jouw geluk mag meegenieten."

Korte tijd later kroop Saskia naast haar slapende man onder het dekbed en denkend aan het gesprek dat ze met Andra had gevoerd deed het haar deugd dat ze nu zonder twijfel kon stellen dat haar dochter volop gelukkig was nu zij de liefde in haar leven had gevonden.

Ze zag opeens een zorgeloze, zonovergoten toekomst voor Andra voor zich en met een gelukzalige lach over haar gezicht viel ze in slaap. Die belette haar te bedenken dat je in het heden onmogelijk in de toekomst kunt kijken. Net als voor elk mens bleef die dus ook voor Saskia vooralsnog een mysterie.

2

Er waren vier maanden voorbijgegaan. Het was eind april en het voorjaar hing voelbaar in de lucht. De temperatuur was aangenaam zacht; het was alleen jammer dat de ene regenbui de andere verjoeg. Deze zaterdagmiddag mopperde Vera op het weer. „Als het droog was, zouden we gezellig de stad in kunnen gaan, maar met dit natte, druilerige weer is er niks aan. Of zie jij ons al onder een paraplu lopen te winkelen?" Ze wierp haar vriendin een vragende blik toe, die Andra beantwoordde. „Jouw gezicht lijkt momenteel op een onweersbui. Ik ben echter niet van plan mijn vrije zaterdag door het weer te laten verpesten. We hebben ons tot dusverre nog geen minuut verveeld, waarom zouden we dat dan nu wel moeten doen? We hebben van de week een veelbelovende film opgenomen waar we naar zouden kunnen kijken. Bovendien hebben we allebei nog een boek liggen dat door ons gelezen wil worden. Kom op, meid en trek een wat zonniger gezicht! Dat is toch warempel niet zo moeilijk!" Ze keek beschaamd toen ze er in één adem op liet volgen: „Ik realiseer me ter plekke dat ik me als een lomperik gedraag. Het is immers niet het weer dat jouw bedroefd stemt, maar het verlies van je ouders. Dat vergeet ik tegenwoordig te vaak, maar dat komt doordat jij er niet of nauwelijks meer met mij over praat. Cas is jouw steun en toeverlaat geworden en daar heb ik begrip voor. Sorry dat ik je daarnet zo onterecht op je kop gaf."
„Ik wil niet dat jij je jegens mij verontschuldigt. Zonder jou zou ik er onderdoor zijn gegaan; het is juist dankzij jou dat ik er goed doorheen ben gekomen. Ik kan het weer aan en dat is best een fijn gevoel."
„Ik heb mijn best gedaan, maar ik weet dat Cas meer voor je heeft kunnen betekenen dan ik. Geef dat maar gewoon toe, want het is zo!"

„Ja, Cas heeft zijn steentje er zeker toe bijgedragen. Zijn liefde voor mij werkt helend. Ik kan het soms nog niet bevatten dat ik me bij de allereerste kennismaking, toen we op kantoor aan elkaar werden voorgesteld, op een heel wonderlijke manier tot hem aangetrokken voelde. Later vertelde Cas dat hij die keer precies hetzelfde had ervaren. Het was liefde op het eerste gezicht. We voelden allebei heel sterk dat wij tweetjes bij elkaar horen. Ik voel me bij Cas beschermd, veilig, geborgen, maar dat kan ook niet anders, want hij is een regelrechte schat!"
„Ja, dat ben ik met je eens," zei Andra. Het was alsof ze eventjes iets weg moest slikken, maar daarna praatte ze verder. „Als je maar niet vergeet dat ik nog altijd met je meevoel en meeleef."
„Dat weet ik, je bent een lieverd. Het verdriet om pap is wonderlijk genoeg aan het slijten, dat van mam steekt nog regelmatig een venijnig kopje op. Die ochtend toen ik haar vond, staat nog pijnlijk helder op mijn netvliezen gebrand. Ik dacht dat ze zich versliep en ging naar haar slaapkamer om haar wakker te maken. Ik riep haar en toen ze niet reageerde, gaf ik haar lachend een speels kusje op haar neus. Toen pas drong het tot me door wat er aan de hand was... Maar dit heb ik je al meer dan eens verteld, neem me niet kwalijk dat ik als een oude zeurkous in herhaling val..."
„Het geeft niet, het is juist goed dat je erover praat. Dat het een enorme schok voor je is geweest, blijkt alleen al uit het feit dat jij nog steeds geen voet in de slaapkamer van je moeder durft te zetten. Dat verklaart alles, wellicht te veel."
„Het is misschien kinderachtig van me, maar ik kan er niets aan doen. Ik durf die deur niet open te doen. Ik ben doodsbang dat het vreselijke beeld van toen zich opnieuw aan me zal opdringen. Ik ben bang voor die kamer geworden omdat de dood zich er zo gruwelijk onverwacht manifesteerde. Mam was er opeens niet meer, terwijl ik haar nog zo nodig

had. Een hartstilstand, jawel, maar waarom moest die juist zo'n lief mens treffen? Dat noem ik nog steeds stikgemeen."

„Ik kan me voorstellen dat je er zo over denkt. Ik ben het dan ook niet altijd met mijn moeder eens. Zij beweert stellig dat alles is voorbestemd, dat alles komt zoals het moet komen. Zo zegt mam ook vol overtuiging dat jij je angst voor die kamer eens zult overwinnen. Waar haalt ze de wijsheid vandaan, vraag ik me af."

„Veroordeel je moeder er maar liever niet om. Ik hoop innig dat ze gelijk zal krijgen! Want ooit zal ik mam haar kleren en dergelijke toch moeten opruimen en dan zal ik de fotoalbums en de schoenendoos vol foto's in handen krijgen. Die bewaarde mam onder in haar kledingkast. Eigenlijk zou ik de foto's dolgraag weer eens willen bekijken, maar ik durf ze niet te voorschijn te halen. Ik kan me haar lieve gezicht vanzelfsprekend moeiteloos voor de geest halen, maar als ik het op een foto zie, zal het toch anders zijn. Net alsof ze dan dichterbij is en dat kan ik niet aan. Ik mis haar nog zo erg, misschien hield ik wel te veel van haar, wie zal het zeggen...?"

In Vera's groene ogen blonken tranen. Andra probeerde die met troostwoorden te drogen. „Jouw moeder hield ook verschrikkelijk veel van jou. Ze noemde je niet voor niets haar klein wondertje. Jij was de zon in haar leven. Trek je daaraan op, laat het een troost voor je zijn. Ik weet zeker dat je moeder niet wil dat jij om haar treurt; zij wil jou lachend gelukkig zien!"

Nu glimlachte Vera. „Dat weet ik maar al te goed. Welbeschouwd kreeg mam mij veel te laat; ze had jaren eerder van me moeten kunnen genieten. Jouw moeder zou ook hier dan zeker op zeggen dat het gegaan is zo het gaan moest?" „Vast wel," zei Andra. „Het is alweer een poos geleden dat mam en ik het erover hadden. Mam suggereerde toen dat jouw moeder jaren in de veronderstelling moet hebben geleefd dat ze onvruchtbaar was. Dat lijkt mij ook vrij logisch."

„Ja, mij ook, maar het fijne weet ik er niet van. Ik heb er vaak genoeg met haar over willen praten, maar ze stond er niet voor open. Mam en ik gingen anders met elkaar om dan jij met jouw moeder. Jullie kunnen echt samen praten over alles wat je dwarszit of juist blij maakt. Daar ben ik dikwijls jaloers op geweest, want dat kon ik met mam niet. Zij was een vrouw die vond dat het verleden er niet toe deed en dus wilde of kon ze er niet met mij over praten. Pap en zij, ze waren blij met mijn komst en dat moest voor mij genoeg zijn. Hun reactie op het feit dat ze op latere leeftijd nog vader en moeder werden, is en blijft voor mij een open vraag. Mam sloot demonstratief haar mond als ik er een balletje over op gooide. En als je zo zichtbaar op weerstand stuit, laat je het wel uit je hoofd er nog eens over te beginnen. Ik neem het haar niet kwalijk. Ze liet op zo veel andere manieren merken dat ze ontzettend blij met me was. Ze zou echt overgelukkig zijn geweest als ze wist dat ik bij Cas het geluk in de liefde heb gevonden. Jammer dat ze dat mooie wat mij overkwam, niet heeft mogen meemaken," besloot Vera spijtig.

Daarop zei Andra bedachtzaam: „Wie weet kijkt ze van boven op je neer. Het leven eindigt niet bij de dood, daar ben ik van overtuigd. En zodoende weet ik voor mezelf heel zeker dat je moeder jouw doen en laten kan volgen. En omdat jij in haar aardse leven alles voor haar was, is zij nu zielsgelukkig met jouw geluk!"

„Je bent een lieverd, alleen een echte vriendin kan het zo treffend en troostend formuleren. Fijn hè, Andra, dat Cas en Eiko zo veel begrip voor onze hechte band kunnen opbrengen? Maar ja," liet ze er lachend op volgen, „in het andere geval hadden we de beide mannen ook allang uit ons leven verbannen! Zal ik nu zoetjesaan eens thee gaan zetten of nemen we een wijntje om te vieren dat wij ons, hoewel we binnen moeten blijven, nog geen seconde hebben verveeld, zelfs niet aan een film of boek hebben gedacht?"

„We raken gewoonweg niet uitgepraat, dat is altijd al zo geweest. Cas en Eiko storen zich er wel eens aan als wij onderling almaar zitten te praten en te lachen. Als excuus kunnen wij dan aanvoeren dat wij hen daar van te voren voor hebben gewaarschuwd," besloot Andra gniffelend.

Vera was opgestaan om voor een glas wijn te zorgen. Toen ze er weer bij zat, nam zij de draad van het gesprek weer op. „Wij hoeven toch heus geen medelijden met onze mannen te hebben, want als het Cas of Eiko te gortig wordt, geven ze elkaar een veelzeggend seintje! En dan neemt Eiko jou mee naar de logeerkamer, die we inmiddels beter jouw zitslaapkamer kunnen noemen. We zijn in de maanden die achter ons liggen een vierspan geworden, maar elk voor zich vinden we het toch wel prettig om een poosje alleen met onze partner te kunnen zijn." Vera nipte aan haar wijntje, sloeg daarna haar groene ogen op naar Andra en zei nadenkend: „Er wordt veelal beweerd dat mannen het moeilijk zonder seks kunnen stellen als ze de vrouw van hun dromen hebben gevonden. Daar merk ik bij Cas echter helemaal niets van en dat vind ik soms toch wel opmerkelijk. Hij knuffelt en zoent me wel, maar daar blijft het bij..."

„Tot ongenoegen van jou, bespeur ik?"

Vera schokschouderde. „Ik wil Cas helemaal, hij moet een deel van mij zijn. Ik vermoed dat dat komt doordat ik na het overlijden van mam helemaal alleen overbleef. Op één tante na. Zij is een zus van mijn moeder. Verder heb ik geen familie waar ik op terug kan vallen. Nou, en aan die ene tante, tante Emma, heb ik ook niets. Voor zover ik me kan herinneren, heb ik haar nog nooit gezien. Tussen mijn moeder en haar enige zuster is in het verleden iets voorgevallen waardoor het contact definitief werd verbroken. Ik heb mam eens gepolst naar het waarom ervan, maar als gewoonlijk kreeg ik nul op het rekest. Tante Emma hoorde bij het verleden en daar wilde mam niet in duiken. Als het aan mij lag, zou ik morgen met Cas willen trouwen; dan konden we een gezinnetje gaan stichten. Dat zou mij vastigheid bieden. Ik hunker er soms naar iets te hebben wat helemaal van mij is..."

Andra staarde haar vriendin verbluft aan. „Jij bent gek! Meid, je bent pas twintig, dan denk je toch warempel niet aan trouwen!"

„Waarom niet, vroeger was het heel gewoon als een meisje op deze leeftijd trouwde. Het voordeel ervan is dat je lekker jong met je kinderen bent. Het is een antieke gedachtegang van me, dat geef ik toe, maar die wordt veroorzaakt door de houding van Cas. Ik vermoed dat Cas vanwege zijn geloofsovertuiging niet vóór het huwelijk met een vrouw wil slapen. Nou, en om hem tegemoet te komen zou ik dus liever vandaag dan morgen met hem willen trouwen. Ik zie het rare daar echt niet van in."

Ik denk opeens dat Cas zijn houding ten opzichte van jou een andere oorzaak heeft, flitste het door Andra heen. Of zou het slechts een stille wens van me zijn...? Ze schrok op uit deze gedachten toen ze Vera verongelijkt hoorde mopperenn: „Wat zit je daar nou met je hoofd gebogen, waarom zeg je niets!"

„Nou ja, uh...wat moet ik erop zeggen? Het is iets tussen jou en Cas. Toch...?"

„Ja, je hebt gelijk. Wij hebben geen geheimen voor elkaar. Mag ik dan nu ook weten hoe het tussen jou en Eiko verloopt? Op het gebied van seks, bedoel ik?"

„Net als bij jullie. Maar in ons geval ligt het niet aan Eiko, maar aan mij. Eiko verlangt naar me, maar ik ben degene die het willens en wetens tegenhoudt..."

„Wat is er met je aan de hand? Je bloost tot in je haarwortels!" Vera wierp haar vriendin een niet-begrijpende blik toe, Andra antwoordde onwillig: „Denk maar niet dat het voor mij een makkie is... Aanvankelijk was ik smoorverliefd op hem. Ik hoor het mezelf nog tegen mijn moeder zeggen dat hij de man is met wie ik wil trouwen. De laatste tijd kijk ik er echter heel anders tegen aan. Ik prakkiseer me werkelijk suf over de gewetensvraag of ik nog wel om Eiko geef. En zolang ik daar voor mezelf geen afdoend antwoord op heb gekregen, kan ik me niet aan hem geven. Ik kan en wil het alleen als ik onvoorwaardelijk van een man houd en dat gevoel mis ik als ik bij Eiko ben. Het is net alsof mijn liefde voor Eiko langzaam maar zeker uit me wegebt. Leuk is anders," besloot ze met een diepe zucht.

Vera staarde haar zowat met ogen op steeltjes aan. „Ik weet niet wat ik hóór...! Dit had ik zeker niet verwacht. Ik vind het dan ook vreselijk triest voor je. Maar niet minder voor Eiko, moet ik er eerlijkheidshalve bij zeggen. Hij houdt zielsveel van jou, dat merk je echt aan alles. Hij zal een enorme dreun te verwerken krijgen als jij hem vertelt over je veranderde gevoelens jegens hem. En daar kun jij niet onderuit, want Eiko is een te goed en te lief mens om aan het lijntje te worden gehouden. Dat ben je toch hopelijk met me eens, Andra...?"

Zij knikte van ja en na een kort stilzwijgen zei ze: „Eiko is een schat, een en al goedheid en daarom wil ik hem én mezelf nog een kans geven. Misschien heb ik te kampen met een inzinking en ga ik vanzelf weer net zo veel van hem houden als in het begin. Dat zou mooi zijn, ook voor mijn ouders. Vooral voor mijn moeder; zij is werkelijk dol op Eiko. Ze ziet hem al helemaal als haar toekomstige schoonzoon. Vergeet dus maar snel wat ik daarstraks zei en vertel het vooral niet aan Cas! Dat moet je me beloven, hoor Vera!"

„Je ziet me toch wel voor vol aan! Natuurlijk weet ik wanneer ik mijn mond hermetisch moet sluiten! En net zo moet jij vanuit jezelf aanvoelen dat Eiko niet mag weten wat ik jou over Cas en mij heb verteld. Het zijn schatten, maar dat betekent niet automatisch dat ze álles van ons hoeven te weten. En daar hoeven wij ons niet voor te schamen, want echte hartsvriendinnen mogen onderling gerust geheimpjes hebben. Wil je nog een wijntje?"

Andra schudde resoluut van nee. „Overdag is eentje voor mij meer dan genoeg. Vanavond, als de jongens er zijn, neem ik wel een glas."

„Nu doe je net alsof we het dan op een drinken zullen zetten, maar dat valt in de praktijk reuze mee. Eiko en Cas zijn gelukkig ook geen drinkebroers. Maar moeten wij ons langzamerhand niet een beetje voor de jongens gaan optutten? Over pak weg een uurtje kunnen ze er zijn."

Daarop zei Andra: „Ik ga me eerst nog snel even douchen en iets anders aandoen. Eiko ziet mij graag in een rok met iets leuks erop."

Ze stonden gelijktijdig op en terwijl ze de trap naar boven beklommen, opperde Vera: „Nu zie je maar weer hoe gemakkelijk het is dat jij je hele garderobe zowat bij mij hebt hangen. In het andere geval zou je eerst nog weer naar huis moeten om iets op te halen!"

„Je hebt gelijk, maar mijn moeder denkt er wel anders over," zei Andra lachend. „Hoewel zij er inmiddels een beetje aan gewend is geraakt dat ik op eigen benen kan staan, blijft ze mij toch zien als het kleine meisje dat ze het liefst constant om zich heen heeft."

„Wees dankbaar dat je haar nog hebt, die lieve, zorgzame moeder van je," zei Vera zacht. En voordat Andra in de badkamer verdween, kon ze het niet nalaten haar vriendin te waarschuwen: „Zet je hart straks wijd voor Eiko open, zodat zijn liefde jouw twijfels jegens hem kan wegwissen. Jij vergist je schromelijk in jezelf, dat kan niet anders, want jullie horen bij elkaar. Net als Cas en ik!"

Andra stond onder de douche toen ze aan die woorden van Vera terugdacht. Ik hoop dat jij je niet in Cas vergist, piekerde ze met een diepe frons in haar voorhoofd. Waarom was het in de liefde allemaal zo complex dat je niet wist waar je aan toe was? Jullie horen bij elkaar, had Vera overtuigend gezegd, maar kon zij in het hart van een ander kijken? Zij, Andra, twijfelde wel degelijk aan haar gevoelens jegens Eiko en dat was min of meer de schuld van Cas, vond ze. Een poosje geleden hadden Cas en zij elk met een tijdschrift tegenover elkaar aan de grote tafel gezeten. Die zaterdagmiddag was Eiko nog in de zaak van zijn vader aan het werk en Vera was in de keuken bezig geweest met het avondeten. Op een gegeven moment had ze gevoeld dat Cas naar haar keek. Ze had haar ogen naar hem opgeslagen en gevraagd: „Wat kijk je me aan?"

Tot haar verbazing had Cas toen gezegd: „Je bent een uitzonderlijke mooie, lieve vrouw; ik kijk graag naar je!"

Ze had gevoeld dat ze bloosde en uit pure verlegenheid had ze alleen maar kunnen uitbrengen: „Je weet niet wat je zegt, gek!" Ze had zich snel weer over het artikel in tijdschrift gebogen, tot ze voelde dat Cas zijn hand over die van haar legde. Toen had ze haar ogen opnieuw naar hem opgeslagen en een bepaalde gloed in zijn ogen gezien die ze niet meteen een naam had durven geven. Daar was zijn blik te warm voor geweest. Op hetzelfde moment was Vera binnengekomen en haar blijde stem: „Eiko komt eraan en ik heb het eten bijna klaar!" had het onverklaarbare tussen Cas en haar verbroken. Ze waren overgegaan tot de orde van de dag; ze waren weer net als voorheen, een vierspan dat twee bij twee aan elkaar verbonden was door de liefde. Sindsdien verbeeldde zij zich echter niet dat Cas haar regelmatig zat te observeren als hij dacht dat zij het niet merkte. En als hun blikken elkaar dan troffen, was er weer dat warme in zijn ogen. Wat ze nog altijd kon voelen, was zijn warme hand op die van haar. Ze kon niet voorkomen dat ze aan haar gevoelens voor Eiko twijfelde sinds ze meende te mogen stellen dat Cas meer in haar zag dan goed was voor hen beiden. Ze durfde niet eens hardop tegen zichzelf te zeggen dat ze liever met Cas oud wilde worden dan met Eiko. Maar dat wist ze al voordat Cas zijn hand zo warm op die van haar had gelegd. Ze was er allesbehalve blij mee; het was in een woord afschuwelijk. Voordat ze de kraan dichtdraaide, wiste ze snel een paar dikke tranen van haar wangen. Vervolgens droogde ze eerst zichzelf af, daarna de tegels van de douche, alsmede de vloer. In de gezellig ingerichte zit-slaapkamer die ze als haar vertrek was gaan beschouwen, kleedde ze zich aan, deed ze haar haar en maakte ze zich zorgvuldig op. Voor Cas...? Driftig schudde Andra haar hoofd en binnensmonds mompelde ze, boos op zichzelf: „Nee, nee, zo wil ik het helemaal niet! Het mag niet, ik zou me een leven lang schuldig voelen jegens Vera. En hoe kun je dan gelukkig zijn?" Toen ze kort hierna de trap afliep, kermde het in haar: Help me, Eiko, leer me opnieuw van jou te gaan houden.

In de kamer prees Vera haar: „Je ziet er leuk uit; dat zal Eiko vast niet ontgaan! Kan ik er ook mee door?"

„Jij ziet er altijd goed uit, zelfs zonder make-up."

Op dat moment ging de achterdeur open en kwamen Cas en Eiko tegelijk binnen. Nadat ze elkaar begroet en gekust hadden, vertelde Cas: „We stonden daarstraks toevalligerwijs achter elkaar voor het stoplicht en zodoende zijn we tegelijk waar we wezen willen. En dat gebeurt zelden."

„Dat ligt niet altijd aan een stoplicht," weerlegde Eiko. „Jij bent hier meestal uren eerder dan ik omdat jij op zaterdag niet hoeft te werken. Ik moet tot zes uur in de zaak aanwezig zijn en ik zal jullie zeggen dat ik dat momenteel best kan voelen. Het was een drukke dag, ik heb nauwelijks gezeten en ben dan ook bekaf!"

„Schuif dan maar gauw aan tafel," adviseerde Andra, „dan kun je smullend uitrusten." Ze streek hem in een liefdevol aandoend gebaar over zijn haar en ging naast hem zitten. Nadat ze gebeden hadden en ze zich te goed deden aan de soep, zei Cas: „Het is je aan te zien dat je moe bent. Ik heb met je te doen, maar prijs mezelf gelukkig met mijn kantoorbaan van vijf dagen in de week. Een eigen zaak, in wat voor branche dan ook, zou echt niets voor mij zijn. Anders zou ik het eetcafé dat mijn ouders in de binnenstad runden, na hun tragische dood immers hebben voortgezet! Ik was nog maar een tiener toen ik al heel zeker wist dat ik hun voorbeeld niet zou kunnen volgen. Mijn ouders werkten zes dagen per week van 's morgens vroeg tot 's avonds laat. Het was altijd klaarstaan voor een ander; ze konden nooit eens doen waar ze zelf zin in hadden. Vader en moeder, ze wisten allebei dat ik anders in elkaar stak en daar toonden ze gelukkig het nodige begrip voor. In het andere geval zou ik me misschien schuldig hebben gevoeld dat ik het eetcafé na hun overlijden heb verkocht. Het is een geruststelling voor me te weten dat zij mijn besluit van toen zouden hebben goedgekeurd," besloot Cas.

Eiko kon niet nalaten op te merken: „Al met al zit jij er op jouw leeftijd al warmpjes bij! De verkoop van de zaak heeft je geen windeieren gelegd en dat geldt voor de hele nalatenschap. Toch?"

Cas knikte. „Wat dat betreft, hoor je mij niet klagen! Dankzij mijn ouders bewoon ik een mooi huis met alles erop en eraan, dat bovendien hypotheekvrij is. Ik mag niet mopperen en daar ben ik me dan ook heel wel van bewust!"

Eiko en Andra zonden hem een begrijpende blik. Vera zei: „Ik noem het nog steeds frappant dat Cas en ik zo veel gemeen hebben. We hebben allebei veel te vroeg onze ouders moeten verliezen en net als Cas heb ik een eigen huis waar geen hypotheek meer op rust en een aardig banksaldo. Ik zou alles echter graag willen inruilen als ik pap en mam ermee terug kon krijgen."

Het leek alsof Eiko hardop dacht: „Cas kan er beter mee omgaan, maar dat komt doordat het bij hem langer geleden is. Het is voor hem niet meer zo pijnlijk vers als bij jou." Hij richtte zich tot Cas en praatte verder. „Ik respecteer jouw gevoelens, maar ik denk dat ik in jouw geval alles op alles zou zetten om mijn biologische ouders alsnog op te sporen.

Wees eens eerlijk, heb jij daar diep in je hart echt geen behoefte aan?"

Hierop verzuchtte Cas: „Wij hebben het hier onderling meer dan eens over gehad, maar jij gelooft me dus kennelijk niet als ik zeg dat de mensen die zich vanaf mijn geboorte over mij hebben ontfermd, voor mijn gevoel mijn ouders zijn geweest. Ik had me geen betere ouders kunnen wensen. Zij gaven me wat ik als kleine jongen nodig had en ook later ben ik niets tekortgekomen aan liefde en goede zorgen. Wat moet ik nog met een vrouw die mij weliswaar op de wereld heeft gezet, maar het verder voor gezien hield? Ze wilde me niet, anders had ze me niet meteen na mijn geboorte afgestaan. Uit de verhalen over haar weet ik dat ze nog heel erg jong was toen ze me kreeg, maar dan nog zeg ik op mijn beurt dat zij ouders moet hebben gehad die haar hadden kunnen helpen bij het grootbrengen van haar kind. Ik neem haar niets kwalijk, maar ik heb zeker niet de behoefte haar alsnog te leren kennen. Ik denk zelfs nooit aan haar en dat moet maar liever zo blijven."

„Als jij er zo over denkt, is het goed," vond Vera. „Dan is het van minder dan geen belang hoe anderen ertegen aankijken. En mocht je het er in de toekomst toch onverhoopt moeilijk mee krijgen, dan ben ik er om je met mijn liefde te troosten." Ze tuitte haar lippen en wierp hem een denkbeeldig kusje toe, dat vergezeld ging van een warme blik.

Cas glimlachte erom en uit de grond van zijn hart zei hij: „Je bent een schatje!"

Na de maaltijd zaten ze om de salontafel achter de koffie en keerde Vera zich tot Eiko. „Ben je nog moe?"

Hij trok een lelijk gezicht. „Nee, natuurlijk niet. Je ziet me toch hopelijk niet voor een oude kerel aan! Ik voel me weer zo fris als een hoentje. Hoe kan het ook anders met de liefste vrouw zo dicht naast me!" Hij sloeg een arm om Andra heen en trok haar tegen zich aan. Van Vera moest hij weten: „Of stelde je de vraag met een bedoeling?"

Zij lachte. „Hoe kun je het raden! Ja, ik heb je hulp nodig. Mijn computer doet het namelijk niet. Ik kan tikken wat ik wil, maar er verschijnt geen letter op het beeldscherm. Cas heeft er gisteren naar gekeken, maar hij kreeg het niet voor elkaar. Maar hij gaf ruiterlijk toe dat hij er weinig verstand van heeft. Wil jij proberen het ding weer aan de praat te krijgen? Als je er echt niet te moe voor bent?"

Eiko wierp haar een bestraffende blik toe. „Moet je dat er toch nog snel even achteraan zeggen, plaaggeest! Kom maar mee, dan zal ik het euvel verhelpen. Althans, dat hoop ik!" Hij liet Andra los en stond op. Vervolgens verlieten hij en Vera het vertrek.

Nadat de deur achter hen was dichtgevallen, viel er een gespannen stilte, die Cas op een gegeven moment verbrak. „Daar zitten we dan met z'n tweetjes..." Voordat hij meer kon zeggen, vulde Andra aan: „Hartstikke ongemakkelijk te wezen..."

„Gevoelens kun je niet verbergen," concludeerde Cas. Hij keek haar indringend aan. „Deze van het moment niet, maar ook die andere niet!"

„Ik heb geen idee wat je bedoelt," jokte Andra. Ze vond het meer dan vervelend dat ze het bloed naar haar wangen voelde kruipen.

Dat ontging Cas niet. De blossen op haar wangen deden hem zeggen: „Je bloost als een klein meisje. Ik weet echter dat jij volop vrouw bent. En dat Eiko jou niet kan geven waar jij naar verlangt, weet ik ook. Dat is niet zijn schuld; het komt louter en alleen door het feit dat jij ongewild van mij bent gaan houden. Zoals ik van jou..."

Om zijn nog steeds indringende blik te ontwijken boog Andra haar hoofd en hopeloos verlegen met de situatie prevelde ze: „Je moet niet zo raar praten, Cas Sieverts...! Jij hoort bij Vera en zij is mijn allerbeste vriendin. Denk je dat ik haar verdriet kan of wil doen?"

Andra hief haar gezicht weer naar hem op toen ze hem met

gedempte stem hoorde zeggen: „Het kan niet zo zijn dat jij ongelukkig moet worden met Eiko en ik met Vera, alleen omdat wij viertjes elkaar koste wat kost moeten sparen. Liefde laat zich niet sturen, Andra, zo simpel is het! Wij hebben ons hart aan elkaar verloren en daar helpt geen moedertjelief aan. Wij weten allebei al een poosje wat er tussen ons gaande is; ik kon het niet langer voor me houden."

„Had het maar wel gedaan... Wij schieten er niets mee op dat we dit nu van elkaar weten. Het schept alleen maar hopeloos veel verwarring. Toe Cas, stel je niet zo egoïstisch op, bedenk liever hoeveel verdriet jij Vera hiermee doet. Ze heeft het al moeilijk genoeg, wat heel voorzichtig aan het slijten was, zal in alle hevigheid weer bij haar bovenkomen als ze merkt wat er tussen ons is ontstaan. Dat mogen wij haar niet aandoen... ik wil het niet. Jij had je mond moeten houden..."

„Vertel jij me dan eens hoe ik Vera nog gelukkig kan maken nu mijn hart een heel andere koers vaart! Ik kán Vera niet geven waar zij naar verlangt. Dat plaagt me, want ik geef onzegbaar veel om haar. Ze is een schatje, ik voel me nog altijd tot haar aangetrokken, maar dat ene, het allerbelangrijkste tussen man en vrouw, is jegens haar uit me weggeglipt. Daar ben ik ongewild achter gekomen en ik kan je verzekeren dat het me allesbehalve vrolijk stemt. En net zo vergaat het jou jegens Eiko. Dat durf ik ronduit te stellen, want het is gewoon zo. Wat wij ermee aan moeten, weet ik echter niet."

„Ik doe mijn best opnieuw van Eiko te gaan houden en zo moet jij ervoor vechten om je liefde voor Vera terug te winnen! Dit onzinnige gesprek moeten wij allebei zo snel mogelijk vergeten, hoor Cas...!"

„Hoor je het jezelf zeggen!?" Op dat moment hoorden ze Eiko en Vera naar beneden komen en fluisterde Cas: „Ik bel je volgende week een keer op je werk. Omdat we het toch zullen moeten uitpraten, moeten we een afspraak maken;

daar is voor ons allebei geen ontkomen meer aan."

Andra kon er niet op ingaan, want de deur ging open en Vera, die als eerste binnenstapte, zei zichtbaar verheugd: „Na wat gehannis en gedoe kwam Eiko er opeens achter dat het toetsenbord stuk was! En waar ik ook aan had gedacht, niet dat dat ding het zou begeven. Ik ga maandag meteen een nieuwe halen en dan is dat leed weer geleden. Dankzij Eiko. Hij is, wat kennis van de computer betreft, net even meer mans dan jij, Cas!"

De zuurzoete lach die hij Vera zond, had niets te maken met haar verwijt, dat overigens louter als een grapje bedoeld was. Om te voorkomen dat het spanningsveld tussen hem en Andra op de anderen zou overslaan, stelde Cas gejaagd voor: „Ik wil er eigenlijk wel even uit. Zullen we de stad in gaan? De vrienden van onze stamkroeg zullen ons missen, want we zijn er al in geen weken meer geweest!"

„Ik vind het best, hoor," zei Eiko. Vera sloot zich bij hem aan en allebei hadden ze er geen idee van dat Andra onhoorbaar een zucht van verlichting slaakte. Het was werkelijk een briljant idee van Cas. Zij moest er nu niet aan denken dat ze thuis bleven en zij het risico liep dat Eiko te kennen gaf dat hij alleen met haar wilde zijn. Het spijt me zo verschrikkelijk voor jou en Vera, dacht ze stil, maar het is zoals Cas zei; je kunt de diep liggende gevoelens in je niet naar eigen wil sturen. Liefde zoekt en vindt altijd een heel eigen weg – waar had ze dat eens gehoord of gelezen?

In alle onschuld vermaakte Vera zich die avond prima. Ze praatte en lachte met deze en gene en ze had niet in de gaten dat Cas haar van een afstandje observeerde. In zijn donkere ogen schemerde een zweem van hulpeloosheid. Er verscheen een diepe frons in zijn voorhoofd toen hij zich afvroeg waarom hij in vredesnaam op zo'n totaal andere manier om Vera was gaan geven. Wat bezielde hem? Zij had alles in zich om een man gelukkig te maken. Ze had een zacht, goudeerlijk karakter. Ze was ontzettend lief en qua uiterlijk waren er naar zijn smaak maar weinig vrouwen die aan Vera konden tippen. Ze had een perfect figuurtje met de juiste rondingen die hij zich als man kon wensen. Haar volle mond lokte om gezoend te worden; haar grote, stralende groene ogen waren ronduit prachtig. Ze maakten haar lieve gezichtje mooier dan het al was. Dat de buitenkant van een mens niet het belangrijkste was, bewees het feit dat hij desondanks van Andra Linthorst was gaan houden. Andra was zeker niet lelijk, oordeelde Cas in gedachten verzonken. Haar haar had de kleur van honing, ze had blauwe ogen en best wel een aardig figuurtje. Maar het pittige, puur vrouwelijke dat Vera uitstraalde, miste Andra. Hij was dus bepaald niet gevallen op het uiterlijk van Andra; hij was van haar gaan houden om de vrouw die zij was. Daar hoefde hij niet meer aan te twijfelen. Natuurlijk hoopte hij ooit gelukkig te zullen worden met Andra, maar als hij aan Vera dacht, wist hij dat die hoop in hem vooralsnog ijdel zou blijken. Het enige wat hij in deze netelige kwestie kon doen, was het goede voorbeeld van Andra opvolgen. Zoals zij haar best wilde doen om weer als vanouds van Eiko te gaan houden, zo moest hij zijn hart voor Andra sluiten om het voor Vera open te zetten. Ik zal mijn uiterste best voor je doen, beloofde Cas zichzelf en Vera. Ik zal al mijn wilskracht gebruiken opdat dat wat nu hopeloos scheef is, weer wordt rechtgetrokken. Op dat moment was het alsof Cas voelde dat iemand hem aanstaarde. Hij sloeg zijn ogen op en keek in het gezicht van Eiko Hoogendijk, die een eindje van hem verwijderd stond. En toen was het alsof zijn hart ongewild toch weer een loopje nam met zijn gezonde verstand van daarnet, want de peilende blik van Eiko, zo strak op hem gericht, deed Cas berouwvol denken: Sorry...ik heb dit beslist niet zo gewild. Het overkwam me en nu rijst in mij de vraag of het überhaupt mogelijk is een gevecht aan te gaan tegen ware liefde.

3

De tijd had niet stilgestaan. Het was inmiddels alweer half juni en al dagen achtereen had de zon zich van haar beste kant laten zien. Het was gewoonweg volop zomer en deze avond nestelde Vera zich op haar terras in een gemakkelijke tuinstoel. In het vroege voorjaar had ze de bloembakken en bloempotten opnieuw gevuld en nu was het om haar heen een zee van bloeiende bloemen en planten. En toch, bedacht ze peinzend, geniet ik er niet van zoals het zou moeten. Ze had de laatste tijd zelfs het gevoel dat de zon voor iedereen scheen behalve voor haar. Te vaak betrapte ze zich erop dat ze bezig was een zwartgallige doemdenkster te worden en dat kwam doordat ze zich soms een beetje in de steek gelaten voelde. Andra logeerde zelden of nooit meer bij haar en woonde weer gewoon bij haar ouders thuis. Ze wist heus wel dat ze daar begrip voor moest opbrengen, zij had Cas immers die haar opving en liefhad. Zo zou Andra erover denken en daarom trok zij zich terug. Lieve Andra; ze bedoelde het goed, maar ze wist niet dat zij – Vera – het gevoel had dat ze Cas stukje bij beetje aan het verliezen was. Hij was nooit wat je noemt een vurige minnaar jegens haar geweest, maar daar had ze genoegen mee genomen omdat ze de oorzaak ervan kende en respecteerde. Cas was een bloedserieuze man die niet van bepaalde principes af kón wijken. Vanuit zijn geloofsovertuiging kon en wilde hij niet vóór het huwelijk intiem met haar zijn, zo had zij tot dusverre gedacht. Gaandeweg was ze echter aan zijn beweegreden gaan twijfelen. Want áls dat het was, zou hij toch met haar kunnen trouwen? Ze had vaak genoeg tegen hem gezegd dat zij niets liever wilde dan zijn wettige vrouw zijn, maar haar aanzoek werd door Cas steeds afgedaan met een uitvlucht: „Daar ben ik nog niet aan toe, bepaalde zaken laten zich niet overhaasten. Toe Vera, je moet het me niet moeilijker maken dan ik het al heb."

O ja, ze merkte heus wel dat Cas de laatste tijd niet lekker in zijn vel zat. Maar als zij bezorgd vroeg naar de oorzaak ervan, schokschouderde hij of zei hij onwillig dat hij daar met haar niet over kon praten. Het was een uitspraak die gevoelig hard bij haar aankwam. Zij vond juist dat je, als je oprecht van elkaar hield, juist de dieper liggende gevoelens met elkaar moest kunnen bespreken. Er was iets onzichtbaars tussen Cas en haar geslopen dat zij niet benoemen kon. Of durfde ze het niet, was ze bang voor wat ze in haar hart voorvoelde...? Toch kon ze niet anders zeggen dan dat Cas nog altijd lief en zorgzaam voor haar was. Nu was ze het voor zichzelf weer aan het goed praten, maar ze was toch warempel niet vergeten dat Cas haar de laatste tijd niet meer vol op de mond kuste, niet meer knuffelde als voorheen? Als zij zich daar tegen hem over beklaagde, kreeg ze steevast hetzelfde te horen: „Ik kan momenteel niet mezelf zijn. Toe Vera, laat me nou..."

Ze kon niet anders dan hem met rust laten, maar de gang van zaken zat haar zeker niet lekker. Vroeger zou ze dit soort onbehaaglijke gevoelens uitvoerig met Andra hebben besproken, maar zij vertoonde zich nog amper. Vera had Cas nu immers en had haar dus niet meer nodig. Domme Andra, hoe kun je zo denken, jij bent mijn hartsvriendin, ik zal het nooit of te nimmer zonder jou kúnnen stellen! Bah, het was opeens allemaal veel minder mooi dan het was geweest. Ze was er op het ogenblik gewoon van uit haar doen, maar dat lag waarschijnlijk ook aan het feit dat ze een rotdag achter de rug had. Hoewel ze het vandaag smoordruk had gehad, was het net geweest alsof de wijzers van de klok niet vooruit te branden waren. Gisteren had Cas op kantoor tegen haar gezegd dat hij voor vandaag een snipperdag had opgenomen. „Ik ben moe, opgebrand lijkt het wel, ik moet een dag voor mezelf hebben om bij te komen en uit te rusten."

„Ja, ik zie het," had zij bezorgd gezegd, „je ziet er moe, zelfs een beetje ziek uit. Zal ik dan morgen na kantoortijd naar jou toe komen? Dan kan ik voor je koken en je vertroetelen?"

Cas had zijn hoofd geschud. „Het is lief bedoeld, maar het is voor mij beter dat ik lekker in bed kruip en ga slapen."

Het was vandaag een vreemde werkdag geweest zonder Cas en dat betekent, realiseerde Vera zich, dat ik goedbeschouwd al geen dag meer zonder hem kan. Ze zou nu dan ook, tegen zijn wil in, naar hem toe willen gaan, maar dat moest ze toch maar liever niet doen. Ze moest Cas de rust gunnen die hij kennelijk nodig had, maar ze zou Andra wel kunnen bellen en vragen of zij zin had om een poosje bij haar te komen! Ze moest tegen iemand haar hart luchten en tegen wie kon ze dat nu beter doen dan tegen haar allerbeste vriendin! Terwijl Vera het huis in liep om haar mobieltje te zoeken, zag ze met een blik op haar horloge dat het nog geen zeven uur was. Andra moest komen, want in d'r dooie uppie zou de lange avond die ze nog voor zich had, op haar zenuwen gaan werken. Ze zou gaan zitten piekeren over de veranderde houding van Cas, want daar vergiste zij zich niet in!

Kort hierna toetste Vera het nummer van Andra in. Ze kreeg niet Andra, maar haar moeder aan de lijn. „Met Saskia Linthorst."

„Dag, mevrouw Linthorst, u spreekt met Vera."

„Ja, meisje, dat hoor ik! Hoe is het met jou? We hebben elkaar jammer genoeg al een poos niet gezien."

„Dat spijt mij ook. Ik beloof dat ik heel gauw weer eens bij u binnen zal wippen! Ik zit me eerlijk gezegd stierlijk te vervelen en kom vragen of Andra nog even naar me toe zou willen komen. Mag ik haar anders even?"

„Andra is er niet. Ze belde me vanmiddag vanuit haar werk om te zeggen dat ze na kantoor niet thuiskwam. Veel wijzer maakte ze me niet en omdat ik veronderstelde dat ze naar jou zou gaan, vroeg ik niet verder. Ik nam aan dat ze jou nodig zou hebben, want Andra heeft het momenteel niet gemakkelijk, zoals je weet!"

„Nee, dat weet ik niet. Andra en ik hebben elkaar al een tijdje niet gezien of gesproken. Wat is er met haar, mevrouw Linthorst?"

„Ik weet niet wat ik hoor," zei Saskia stomverbaasd. „Jullie vertellen elkaar altijd alles; jullie zijn zogezegd twee handen op één buik. En nu weet jij niet dat het uit is tussen Andra en Eiko? Het spijt mijn man en mij heel erg. We waren van Eiko gaan houden. We zagen hem helemaal als onze toekomstige schoonzoon en waren bijzonder goed over hem te spreken. Andra heeft het uitgemaakt. Zij vertelde ons dat ze niet meer van Eiko hield. Tja, toen moesten wij de keus die zij maakte, respecteren, want zonder liefde is er geen kans op geluk. En dat gunnen wij onze dochter natuurlijk als geen ander. Dat wil echter niet zeggen dat we niet met Eiko te doen hebben. Zodra Andra thuis is, zal ik haar zeggen dat ze jou moet bellen. Het lijkt nergens op dat jij dit uit mijn mond moet horen!"

„Ik ben er helemaal beduusd van; dit had ik zeker niet verwacht. Ik weet nu ook even niet wat ik erop moet zeggen. Vindt u het goed dat ik de verbinding verbreek...?"

„Ja hoor kind, ik snap wel dat het je aangrijpt en dat je er over na wilt denken. Sterkte ermee, Vera!"

Vera zocht noch de tuin, noch de zon weer op, maar plofte neer op de bank in de kamer en mompelde verdwaasd voor zich uit: „Andra en Eiko zijn uit elkaar, maar dat kan helemaal niet..." Dit kán niet waar zijn, peinsde ze, die twee horen immers bij elkaar. Net als Cas en ik. Andra hield niet meer van Eiko, had mevrouw Linthorst gezegd, maar daar kwam je toch niet zomaar pardoes achter? Het betekende dat Andra het misschien wel al lange tijd moeilijk had gehad. En zij – Vera – had de hele tijd van niets geweten. Het deed knap zeer te moeten ervaren dat haar hartsvriendin niet als voorheen met haar moeilijkheden bij haar was gekomen. In plaats daarvan had Andra zich van haar afgezonderd, begreep ze nu. Domme meid, je wist toch dat ik je als geen ander zou hebben kunnen troosten en je raad had kunnen geven? Arme Eiko, hoe zou het met hem zijn? En Cas, zou hij het slechte nieuws al van Eiko hebben gehoord? Als dat zo was, bleek zij de enige te zijn die buiten spel stond. Maar dat was toch absurd, te gek voor woorden? Hier nam Vera ter plekke een besluit: ik ga naar Cas! Hij heeft de hele dag de tijd gehad om uit te rusten, hij zal zo dadelijk met me moeten praten. Over Eiko en Andra, maar ook over onze eigen relatie. Ik wil dat hij me straks weer als vanouds zoent en liefheeft en daar zal ik hem bij helpen! Bij die zelfgedane belofte speelde er een blij lachje om haar lippen en verscheen er een ietwat ondeugende blik in haar mooie, groene ogen. Heel kort hierna fietste ze naar het huis van Cas en bedacht ze dat ze hem niet mocht overdonderen. Ze had een sleutel van zijn huis. Ze zou straks heel voorzichtig naar binnen glippen en mocht hij languit op de bank liggen te slapen, dan zou ze geduldig wachten tot hij zijn ogen naar haar opsloeg. Maar als dat haar te lang duurde, zou ze hem wakker kussen. Daar kon ze zich nu al op verheugen.

Alsof ze geen tijd meer te verliezen had, zette Vera de versnelling van haar fiets een tandje hoger. Op hetzelfde moment zei Andra tegen Cas: „Je kunt het nog zo moeilijk vinden, er nog zo tegen opzien, toch zul jij, net als ik heb gedaan, de knoop moeten doorhakken, hoor Cas!"

Ze zaten dicht naast elkaar op de bank. Cas sloeg een arm om haar heen en nadat hij haar hartstochtelijk had gezoend, zei hij: „Ik heb een dag vrij genomen om alles op een rijtje te kunnen zetten en zo ben ik er uit mezelf al achter gekomen dat er een eind moet komen aan het kat-en-muisspelletje dat ik tegen mijn wil met Vera speel. Morgen ga ik na kantoortijd met haar mee naar huis en dan zal ik haar zo voorzichtig mogelijk proberen uit te leggen dat jij en ik van elkaar zijn gaan houden. Ik zal dan tegen Vera zeggen dat wij ertegen gevochten hebben als leeuwen omdat we het geen van beiden wilden. Of Vera me op mijn woord zal geloven, betwijfel ik... Het spijt me allerverschrikkelijkst voor haar. Ik wil haar geen pijn of verdriet doen, daar is ze te lief en te goed voor. Vooralsnog kan ik alleen maar hopen dat Vera evenveel begrip zal tonen als Eiko deed."

„Hij zei heel manhaftig dat hij blij was dat ik met de waarheid voor de dag kwam. Hij had al een tijdje aangevoeld dat het niet meer goed ging tussen ons beiden. En zo had hij ook aangevoeld dat er tussen jou en mij iets gaande was. Het kwam bij Eiko dus niet als een donderslag bij heldere hemel en waarschijnlijk kon hij daarom zeggen dat hij, als de liefde slechts van zijn kant kwam, liever alleen verder ging. Een onbeantwoorde liefde is het ergste wat je kan overkomen, dat ben ik met hem eens. Ja, Eiko gedroeg zich sterk, maar ik ken hem en weet dat hij momenteel gebukt gaat onder verdriet. Dat gun ik hem niet, maar toch is het beter zo. Eiko en ik hadden samen niet gelukkig kunnen worden en hetzelfde geldt voor jou en Vera. Als zij net als Eiko haar gezond verstand gaat gebruiken, zal ze dat moeten beamen. Het is allemaal best moeilijk en triest, maar het mag ons geluk niet in de weg staan. Ben je dat met me eens, Cas..."

Als antwoord trok hij Andra naar zich toe en kuste hij haar zoals alleen een man die oprecht liefheeft, dat kan.

Ze gingen zo in elkaar op dat ze niet hoorden dat de kamerdeur openging, maar Vera had het, zoals voorgenomen, ook bijna geruisloos gedaan. Zij zou later zelfs niet bij benadering kunnen zeggen hoelang ze als verdwaasd in de deuropening had gestaan voordat ze fluisterde: „Waar zijn jullie mee bezig?"

Cas en Andra veerden als door een horde wespen gestoken overeind. Cas kreeg als eerste zijn spraakvermogen terug. Diep medelijden met Vera deed hem bewogen zeggen: „Ach, meisje... dit had jou bespaard moeten blijven. Sorry, sorry..." Hij stond op, liep op Vera toe, maar voordat hij haar aan kon raken of één woord kon uitbrengen, bitste zij: „Blijf waar je bent, kom niet dichterbij...! Je hoeft me niks meer uit te leggen; ik snap zo al meer dan me lief is. Zoals jij Andra kuste, zo heb je het mij nooit gedaan... Ik weet nu welhaast zeker dat jij al wel met háár naar bed bent geweest!" Ze wiste driftig een paar tranen weg, maar voordat Cas zijn mond open kon doen, ratelde ze in haar wanhoop beschuldigend verder: „Ging je toen niet gebukt onder schuldgevoelens, kon je je zogenaamde principes, begrijp ik nu, zomaar overboord gooien...? Ik voorvoelde dat er tussen ons iets niet meer klopte, maar dat ik achter mijn rug zo schandalig door jullie beiden voor de gek werd gehouden, is onvergeeflijk wreed. Het is zo gemeen, zo stikgemeen..."

Vera kon de tranen van ongekende woede en verdriet niet meer tegenhouden, maar toen Andra, net als Cas dat vóór haar had gedaan, opstond om haar te troosten, beet Vera haar met een giftige stem toe: „Blijf gerust zitten waar je zit. Ik heb jouw schijnheilige troost niet nodig, hoor! Ik dacht dat je mijn beste vriendin was, maar in werkelijkheid ben je een valse huichelaarster. Je hebt me mijn maatje, het liefste wat ik had, afgenomen, je hebt me verraden, gekleineerd. Ik wil je nooit meer zien, Andra Linthorst, nóóit meer! Ik haat je zoals ik nog nooit iemand heb gehaat." Vervolgens keerde ze zich om en maakte ze zich uit de voeten. Cas snelde achter haar aan en voordat ze naar buiten kon glippen, hield hij haar staande. Er blonken tranen in zijn donkere ogen, die in zijn stem weerklonken. „Je moet me geloven, Vera, als ik zeg dat Andra en ik dit allebei niet hebben gewild. Desondanks zijn wij van elkaar gaan houden. We hebben ons best ervoor gedaan, maar we konden er niet tegen vechten. En wat ons zo ongewild is overkomen, resulteert in het feit dat Andra Eiko niet meer gelukkig kan maken en ik jou niet.

Probeer daar voor je eigen bestwil begrip voor op te brengen en geloof me als ik zeg dat ik het je morgen onder vier ogen had willen vertellen. Ik geef oprecht om jou, maar niet genoeg om mijn leven met jou te delen. Het spijt me meer dan ik zeggen kan..."

Tergend langzaam biggelden een paar tranen over Vera's wangen, haar stem was niet die van haarzelf. „Zeg maar niets meer, Cas... Ik begrijp opeens meer dan jij onder woorden zou kunnen brengen. Wat ik daarstraks zei, is waar; ik haat Andra en wil niks meer met haar te maken hebben. Met jou overigens ook niet en toch... kan ik jou niet haten, zelfs niet veroordelen. Daarvoor geef ik te veel om je, ik ben bang dat dat altijd zo zal blijven. En nu moet je me niet langer de weg versperren; ik wil weg. Weg van jou en van haar die zich mijn vriendin noemde, maar die uiteindelijk een laffe verraadster blijkt te zijn. Ik gun jou het geluk, maar niet in de armen van Andra. Zij heeft jou willens en wetens van mij afgetroggeld en nu verwachten jullie van mij dat ik begrip kan opbrengen? Dat is te veel gevraagd... veel te veel." Nu drukte ze Cas resoluut opzij. Zonder omkijken stapte ze op haar fiets en maakte ze dat ze weg kwam. Cas keek haar na totdat ze uit zijn gezichtsveld verdwenen was. In hem kermde het: Ik geef om je, Vera, eerlijk en oprecht. Mijn gevoel voor jou was echter te zwak om met je te kunnen vrijen, laat staan dat ik aan trouwen durfde te denken. Hoe die tweestrijd bij mij wortel kon schieten, weet ik niet, maar wel dat het de hele tijd een ware kwelling voor me is geweest. Pas toen ik Andra leerde liefhebben, begreep ik wat er schortte aan mijn relatie met jou. De ware liefde ontbrak bij mij. Wil jij dan dat ik je desondanks aan het lijntje had gehouden? Dat zou pas schofterig zijn geweest. Ik kan nu alleen maar hopen dat jij mij vergeet en gelukkig wordt met een ander. Ach, meisje van me, het spijt me zo...

Op de terugweg wist Vera haar tranen te bedwingen. Eenmaal thuis kroop ze weg in een hoekje van de bank en huilde ze zoals ze niet eerder had gedaan. Ze wilde de harde waarheid niet tot zich laten doordringen. Ze kon Cas immers niet missen. Wat haar vanavond was overkomen, bedacht ze snikkend, was minstens net zo wreed als toen mam zo totaal onverwacht van haar werd weggenomen. Eerst pap, toen mam en nu had ze Cas moeten verliezen. Nota bene aan Andra! Haar wilde ze echt nooit meer zien. Het betekende wel dat zij nu moederziel alleen op de wereld stond. O, mam... ik mis jou nu opeens weer zo verschrikkelijk. Als jij bij me was gebleven, zou ik nu als een verdrietig klein meisje bij je weg kunnen kruipen. Jij zou me hebben getroost, je kunt er echter niet meer voor me zijn. Mam... Vera slaakte een loodzware zucht en terwijl ze haar neus snoot en de stortvloed aan tranen probeerde te onderdrukken, dwaalden haar gedachten ongewild naar de kledingkast van haar moeder. Voor haar geestesoog verschenen de albums en de schoenendoos vol foto's. Ze wist dat er een van mam bij zat die kort voor haar overlijden was genomen. In tegenstelling tot eerder, toen ze zelfs bang was geweest dat een foto van mam te veel in haar los zou maken, zou ze nu opeens graag een ingelijste foto van mam op de televisie willen zetten. Dan zou ze zich waarschijnlijk niet meer zo hopeloos alleen en eenzaam voelen. Om de foto te halen zou ze de deur van mams slaapkamer moeten openen en naar binnen moeten gaan en dat durfde ze niet. Nog steeds niet... Cas had onlangs tegen haar gezegd dat zij zich over haar, wat hij noemde onterechte, angst heen moest zetten. „De kleren en andere spullen van je moeder moeten worden opgeruimd; dat hoort nou eenmaal zo! Je moet voor jezelf de beslissing nemen, maar als je bang blijft voor die kamer, neem ik het heft in handen. Dan draag ik je binnenkort over die drempel en zul jij zien dat het reuze meevalt!"

Zo ver was het niet gekomen. Cas had haar angst niet kunnen wegnemen; daarvoor had hij het te druk gehad met Andra. Cas en Andra... Goeie genade, wie weet hoe lang dit achter haar rug al gaande was en zij had de hele tijd niets in de gaten gehad. Zou Eiko net zo naïef, of moest ze het dom noemen, zijn geweest als zij? Eiko en zij, ze zaten nu als lotgenoten in hetzelfde schuitje. Hoe zou hij het maken? Werd hij ook verteerd door onbegrip, verdriet, woede vooral? Ze zou hem kunnen bellen; het was voor hem te vroeg om al in bed te liggen. Eiko verkondigde immers altijd dat hij een nachtbraker was, dat hij weinig slaap nodig had. Ze had haar tranen gelukkig weer onder controle. Wat dat betrof, zou ze normaal met hem kunnen praten. Ze kende het nummer van zijn mobieltje uit haar hoofd. Het zou haar goed doen even een vertrouwde stem te horen.

Kort hierna klonk die in haar oor. „Met Eiko Hoogendijk."

„Ja, Eiko, met mij... Vera. Ik hoorde vanavond pas dat het uit is tussen jou en Andra en omdat ik daar verschrikkelijk van geschrokken ben, kom ik vragen hoe het met je gaat. Kun je het aan, Eiko...?"

„Het zal wel moeten. Ik heb geen keus. Toch lief dat je belt. Gaat het goed met jou?"

„Vraag je dat puur uit belangstelling of weet jij dat ik door Cas gedumpt ben, net als jij door Andra? Ze moesten van ons af om samen verder te kunnen. Wist je het al van Cas en mij...?"

„Nee, maar ik hoor er niet van op; ik voelde al een poosje dat dat eraan zat te komen."

„Ik had niets in de gaten, oen die ik was. Hoe wist jij het dan wel en sinds wanneer?"

„Herinner jij je die bewuste avond nog toen jij meende dat je computer het begeven had en het uiteindelijk slechts het toetsenbord bleek te zijn? Die avond zijn we met z'n vieren uit geweest, weet je nog? Ofschoon ik daarvoor al iets vermoedde, heb ik die avond extra bewust op Cas en Andra gelet. Nee, ze raakten elkaar in het openbaar niet aan, maar de blikken die ze elkaar toezonden, zeiden mij meer dan voldoende. Jij dartelde vrolijk rond en merkte niets; ik bleef mijn ogen goed de kost geven. Op een gegeven moment zonderde Cas zich wat af en zag ik dat hij jou van af een afstand peinzend stond te observeren. Ik kon van zijn gezicht aflezen dat het geen vrolijke gedachten waren die hem bezighielden. Het zou me dan ook niet hebben verbaasd als hij zijn zakdoek nodig had gehad. Zo keek hij, alsof het hem te veel werd en hij een potje zou willen janken. Cas had zichtbaar met jou te doen. Op dat moment drong de reden ervan helder en klaar tot mij door. Hun liefde voor elkaar bleek sterker dan al het overige, zei Andra tegen mij en dat moeten wij dan maar aannemen."

„Zo gemakkelijk als jij het zegt, is het niet. Ik heb het er tenminste heel erg moeilijk mee. Ik haat Andra om wat zij me geflikt heeft; van Cas houd ik nog onverminderd veel. Jij hield zielsveel van Andra, dat kan dan toch net zomin zomaar voorbij zijn...?"

„Ik voel precies hetzelfde als jij," bekende Eiko. „De beelden die ik steeds zelf oproep van Andra en Cas samen, dienen mij pijnlijke messteken in het hart toe. Het moet slijten en ik heb mezelf inmiddels al beloofd dat ik niet al te lang bij de pakken neer ga zitten." Hij zei er gekscherend achteraan: „Weet je, Vera, wat voor ons de ideale oplossing zou zijn?"

„Vertel, ik heb geen flauw idee!"

„Wij zouden het voorbeeld van Cas en Andra moeten volgen door net als zij samen verder te gaan!" De lach die erachteraan kwam klonk spottend. En die deed Vera zeggen: „Je hoort zelf wat een onzin je nu uitkraamt!"

„Het was maar een grapje, een poging om het gesprek een luchtiger karakter te geven. Ik druk me misschien wat lomp uit, terwijl ik je alleen maar duidelijk wil maken dat wij allebei voor een voldongen feit staan dat we moeten accepteren. Simpel, omdat er niets anders voor ons op zit. Blijf niet te lang hangen in je verdriet, Vera, daar ben je te jong, te mooi en te lief voor."

„Ik beloof je dat ik mijn best zal doen. Het heeft me goed gedaan even met jou te praten. Sterkte, Eiko en misschien tot ziens?"

„Ik denk niet dat dat ervan zal komen. Toch weet je het maar nooit. Jij ook veel sterkte en zoek alsjeblieft naar nieuw geluk. Net als ik heb jij daar recht op. Dag, Vera, je was een geweldige vriendin!"

Nou zeg, dat klonk als een afscheid voorgoed, dacht Vera toen de verbinding verbroken was. Maar wellicht had Eiko gelijk, want wat moesten zij samen zonder Cas en Andra? Zij was niet het type waar Eiko op viel en andersom gold hetzelfde. Het kwam er nu dus op neer dat zij geen enkele vriend of vriendin meer had. Leuk was anders... Vera voelde opnieuw tranen achter haar ogen branden en nadat ze die uitgehuild had, bedacht ze tot haar schrik dat ze Cas morgen op kantoor zou zien. Net als altijd, net alsof er niks gebeurd was. Hoe moesten ze zich dan tegenover elkaar gedragen? En wat te denken van hun collega's? Cas en zij, ze konden toch moeilijk verstoppertje gaan spelen, doen alsof alles nog bij het oude was. O, nee, dat kon en wilde zij beslist niet. Zij zou met de waarheid voor de dag komen en het gevolg ervan zou huilbuien bij haar teweegbrengen. Daar kende ze zichzelf goed genoeg voor. O, vreselijk, ze moest er niet aan denken dat ze morgen met roodgehuilde ogen op kantoor zou zitten. Ik ga gewoon niet, schoot het als een ingeving door haar heen. Morgenochtend meld ik me ziek. En dan jok ik niet eens, want ik voel me als een zieke hond die tal van stokslagen heeft moeten incasseren. De pijn daarvan is morgen echt nog niet over. Zo kán ik niet werken, zeker niet als ik Cas vanuit mijn ooghoeken bezig zal zien. Alleen maar mag zien, want in de pauze of een ander onbewaakt moment gauw, gauw even een kusje van hem stelen is er niet meer bij. Hij drukt zijn mond liever op die van Andra dan op die van mij. Dat heb ik zelf gezien. In mijn verbeelding zie ik het tafereel van hem en haar nog aldoor. Het is zo wreed, zo verschrikkelijk oneerlijk. Waarom mag de één alles hebben en ik niets...?

De verdere uren van de avond, alsmede die van een halve nacht, bracht Vera door in verdrietig getob of in tranen. Toen ze de volgende ochtend een blik in de spiegel wierp, voelde ze zich precies zoals ze eruitzag: ziek van ellende.

Ze belde naar het uitzendbureau en toetste het speciale nummer van haar baas in zodat ze meteen hem te spreken kreeg. Ze vertelde dat ze zich ziek voelde en niet op kantoor kon komen. „Ik denk dat ik een griep onder de leden heb." Vera ergerde zich aan de leugen. Haar baas, Pieter van der Waal, antwoordde: „Ja zeg, ik hoor aan je stem dat het niet goed met je gaat. Kruip maar snel weer onder de wol en ziek vooral goed uit! Het mag overigens wel in de krant, want in de tijd dat jij bij mij werkt, is het de eerste keer dat je verstek moet laten gaan. Heel veel beterschap, na verloop van tijd zie ik je vanzelf wel weer verschijnen!"

Dit was dus niet mijn bedoeling, dacht Vera beduusd. Ik had slechts één dag voor ogen om weer wat tot mezelf te komen, Pieter gaf me echter voor onbepaalde tijd ziekteverlof. Ergens komt dit mij wel van pas. Het betekent in ieder geval dat ik me voorlopig niet hoef af te vragen welke houding ik op kantoor ten opzichte van Cas moet aannemen. Zou Cas zich nog herinneren dat ik hem het liefst heel, heel dicht bij me wilde hebben, of zou Andra hem ondertussen al hebben geleerd dat hij zelfs niet meer aan mij moet denken? O, die rottige tranen...

Die ochtend kwam er niets uit Vera's handen. Ze had zich aangekleed, maar kon het niet opbrengen om zich als gewoonlijk een beetje op te maken. Waar zal ik me voor optutten, bedacht ze onverschillig, ik ben immers 'ziek'. Bovendien is er geen mens die me te zien krijgt, geen haan die ernaar kraait. Ik ben een eenling, voor niemand de moeite waard. Andra heeft me voor eigen gewin verraden, Cas heeft me gedumpt, mam was de enige die graag bij me had willen blijven. Zij was ook de enige die oprecht en onvoorwaardelijk van mij heeft gehouden. Lieve mam, jij gaf me zo veel goeds, heb ik je er wel genoeg voor teruggegeven? Stond haar foto maar alvast op de televisie. Dan kon ze zo vaak ze wilde naar dat lieve, haar zo dierbare gezicht kijken. Het zou tevens betekenen dat zij – Vera – een bepaalde angst had overwonnen. Was ze een lafbek? Stelde ze zich aan? Wat was er nu goedbeschouwd voor nodig om naar dat ene vertrek te lopen, naar binnen te gaan en de foto's tevoorschijn te halen. Het was een lieve wens, waarom vervulde ze die niet voor zichzelf? Ze had al zo weinig. Gewoon doen dus! Jawel, maar hoe overwin je een diepgewortelde angst? Wie vertelt mij dat?

Het was klokslag twaalf toen Vera worstelde met die zelfgestelde vraag. Voor Cas en zijn collega's ving op hetzelfde tijdstip de lunchpauze aan. Voordat Cas zijn maag vulde, liep hij naar buiten waar hij Vera ongestoord en zonder stiekeme toehoorders wilde bellen. Hij hoopte dat ze opnam en toen dat tot zijn vreugde het geval was, klonk zijn stem overbezorgd. „Ik hoorde van Pieter dat je ziek bent. Hoe is het nou met je? Ik maak me zorgen om jou, Vera..."

„Daar schiet je niets mee op, doe het dus maar liever niet. Ik voel me niet goed, dat is alles, maar ik denk dat jij wel kunt raden wat er de oorzaak van is."

„Ik voel me een rotzak ten opzichte van jou. En toch, hoe graag ik het zou willen, kan ik de klok niet meer terugdraaien. Begrijp je wat ik bedoel...?"

„Jawel hoor, Andra heeft jou volkomen in haar macht, jij kunt tegen haar niet op."

„Jij veroordeelt Andra te hard. Net als ik heeft zij het zo niet gewild. We houden van elkaar. Het is pure liefde, die ons naar elkaar toe heeft gedreven. Maar daarom hoeven wij elkaar toch niet te haten, Vera...?"

Zij stiet een honende lach uit. „Hoor je eigenlijk wel wat je zegt, Cas? Maar goed, je hebt wel gelijk. Ik haat jou niet. Het is echter wel zo dat ik niets meer met je te maken wil hebben! Je moet me met rust laten, je mag me niet meer bellen of op een andere manier contact met mij zoeken. Jij wilde dat het uit was tussen ons. Nu wil ik op mijn beurt dat het definitief is. Dat geldt zéker voor Andra, zeg dat maar tegen haar! Beloof me dat vooral!"

Cas slaakte een moedeloze zucht. „Het is goed, ik zal aan je eisen voldoen, zolang je ziek thuis bent. Als je weer op kantoor komt, wil ik toch nog eens onder vier ogen met je praten. Het zou zo'n geruststelling voor me zijn als jij wilde geloven dat ik nog steeds om je geef en het een plaag voor me is dat ik jou dit verdriet heb moeten aandoen. Ik kón niet anders... ik kan niet anders."

„Denk je dan desondanks dat je gelukkig kunt worden met Andra...? Ik moet je voor haar waarschuwen. Zij is een huichelaarster, een stikgemeen mens dat tot alles in staat is. Dit is het laatste wat ik je te zeggen heb. Ik wil je niet meer zien of spreken! Het is over en uit. Dag... Cas." Ziezo, dacht Vera, hiermee ben ik duidelijk genoeg geweest. Ze kende Cas en wist dat hij haar wensen, haar eisen, zou respecteren. Ze moest los van hem zien te komen en dat zou enkel kans van slagen hebben als ze hem niet meer zag. Maar nu zie ik iets over het hoofd, schoot het door haar heen. Ze kon immers niet blijven liegen dat ze ziek was. Op een dag zou ze toch heus weer naar kantoor moeten. Dan zou ze Cas toch weer zien en zou haar liefde voor hem haar nog verdrietiger maken dan ze al was. Zou het dan niet beter zijn als ze ontslag nam? Ze kon toch een andere baan zoeken, desnoods ver weg van deze stad waar ze telkens het risico liep Cas en Andra tegen het lijf te lopen? Ze dacht hier diep over na, totdat zich zomaar de naam van een andere stad aan haar opdrong: Rotterdam.

Hoe kom ik daar nu op, vroeg ze zich verbluft af. Of

moest het zijn, was het een ingeving van iets of iemand? Pap en mam hadden er vroeger gewoond, tante Emma woonde er nog steeds. Wat was dit nu opeens? Was mam plots onzichtbaar aanwezig...? Wilde mam dat zij contact zocht met tante Emma? Maar ze kende die vrouw helemaal niet; wat moest ze met haar? En bovendien zou het betekenen dat ze in mams slaapkamer tussen haar spulletjes zou moeten zoeken naar het adres van tante Emma. Hè, wat voelde ze zich opeens raar. Het was net alsof ze door iemand gedwongen werd eindelijk over die vreselijke hoge drempel te stappen. Was het mam, of wees God haar een weg die zij moest gaan? Ze zou zich maar wat graag door Hem willen laten leiden...

Verstrikt in hevige tweestrijd kon Vera op dit moment alleen denken aan het grote verschil tussen doen en durven.

4

Na nog een tijd van weifelen en aarzelen gaf Vera zichzelf een denkbeeldig duwtje in de rug en stond ze op. Ze beklom echter niet resoluut de trap naar boven, maar zocht haar knusse terras op. Met gesloten ogen liet ze zich koesteren door de warmte van de zon en doordat dat ze een halve slapeloze nacht achter de rug had en moe was van het vele gepieker en getob, viel ze binnen de korste keren in slaap. En terwijl de vogels in de struiken en bomen van de tuin hun keeltjes zowat schor zongen, eindigde een verkwikkende slaap die een uurtje had geduurd, voor Vera in een droom. Ze maakte een lange treinreis, helemaal in d'r eentje. Ze voelde zich echter niet alleen of eenzaam; het was een bijzonder prettige reis. Op een gegeven moment zat ze opeens niet meer in de trein, maar stond ze voor een vriendelijk ogend huis. En voordat ze de bel van de voordeur kon indrukken, zwaaide de deur gastvrij open. Er kwam een vrouw naar buiten die haastig op haar toekwam en haar warm omhelsde. Er was maar één die haar zo liefdevol tegemoet kon treden. „Mam...?"

Bij het noemen van die naam schrok Vera wakker. Ze wreef in haar ogen en nog wat versuft vroeg ze zich af wat die droom te betekenen kon hebben. Ze kon zich er alles van herinneren, de lange reis, de vrouw die met uitgestoken handen op haar toekwam en haar vervolgens omhelsde als was zij het verloren schaap dat veilig in de kudde terugkeerde. Vera stootte een cynisch lachje uit en foeterde op zichzelf: mal wicht, je weet toch wel dat dromen bedrog zijn! In die korte droom van daarnet, begreep ze nu, was ze onderweg naar Rotterdam geweest. Als geruststelling voor zichzelf had ze de reis uiterst plezierig laten verlopen. Ze had iets, waar ze in werkelijkheid vreselijk tegen opzag, er rooskleurig laten uitzien door een vrouwspersoon op te roepen die haar liefdevol tegemoet trad. Tante Emma, ze kon zich het gezicht van de vrouw uit haar droom niet meer voor de geest halen. Maar nu ze klaarwakker was, kon ze wel nuchter bedenken dat het wel eens heel anders zou kunnen verlopen. Het was nog maar de vraag of tante Emma in werkelijkheid ook zo blij zou zijn met haar komst! Mam en tante Emma hadden lange jaren in onmin geleefd. Zou die Rotterdamse vrouw dan nu opeens blij kunnen zijn met de komst van de dochter van haar zuster? Natuurlijk niet, ze moest haar gezond verstand gebruiken en vooral geen sprookjes gaan vertellen. Al met al lijkt het er echter op dat ik serieus bezig ben plannen te maken voor een bepaalde reis, bedacht Vera. Dat ze die in haar droom per trein had gemaakt, beschouwde ze nu als een voorteken. Als ze de trein nam zou ze op station Rotterdam een taxi kunnen nemen naar het desbetreffende adres. Als ze met haar auto ging, zou ze zich in die voor haar vreemde stad waarschijnlijk suf zoeken naar waar ze zijn moest. Dromen zijn bedrog, maar het is wel zo dat die gekke droom van daarstraks mij letterlijk en figuurlijk heeft wakkergeschud, bedacht Vera. Ik móét mijn angst voor dat ene vertrek overwinnen, want ik wil nu plotseling, heel zeker weten, naar Rotterdam. Ik wil tante Emma leren kennen, waarschijnlijk alleen omdat zij mijn enige bloedverwant is. Nee, zo is het niet helemaal, corrigeerde ze zichzelf, ik moet haar gaan opzoeken omdat ik me hopeloos alleen en eenzaam voel. Als je echt niemand meer hebt bij wie je horen mag, ben je in verdrietige wanhoop tot dingen in staat waar je eerder zo bang voor was. Ik ben echt wakkergeschud, ik kan het opeens, ik durf het...! Er schoof een lachje van voldoening over haar gezicht, dat spoorslags verdween toen ze op de overloop voor een deur stond die ze tot nog toe met geen mogelijkheid had durven openen. Even aarzelde ze nog, maar vervolgens stond ze in het vertrek en keek ze ietwat verlegen om zich heen. Ze zag het keurig opgemaakte bed en herinnerde zich dat Andra dat na het overlijden van mam had afgehaald en verschoond. In de tijd toen Andra nog haar allerbeste vriendin was, haar steun en toeverlaat in die moeilijke tijd, had zij de kamer regelmatig gelucht en schoongehouden. Andra... nee, niet aan haar denken, ze moest nu doen waar ze voor gekomen was. Bij dat dappere besluit liep ze op de kledingkast toe en nam de albums alsmede de schoenendoos met foto's eruit. Ze zette ze op de overloop en liep vervolgens weer naar binnen. Haar ogen dwaalden naar het antieke buikkastje met de vier laden; ze hoopte dat ze daar het adres van tante Emma in zou vinden. Ze trok la na la open maar vond niet wat ze zocht. Uiteindelijk, in de onderste lade, stuitte ze op een stapeltje brieven en kaarten die bij elkaar werden gehouden door een roze lint. Vooralsnog kon ze alleen maar hopen dat er een brief van tante Emma tussen zou zitten met daarop haar adres. Voordat ze het vertrek verliet, liep ze op het bed toe en door een waas van tranen streek ze over het hoofdkussen dat verborgen lag onder een glad getrokken sprei en fluisterde ze zacht: „Ik ga tante Emma opzoeken, mam... ik hoop dat je me dat niet kwalijk neemt. Jullie hadden ruzie, maar daar heb ik part noch deel aan. Ik moet naar haar toe. Ik heb nu immers niemand anders dan zij. Ik voel me zo alleen, mam... zo verschrikkelijk door iedereen in de steek gelaten. Ik mis je nog heel erg. Het is voor mij echter een troost te weten dat jij het mooi en goed hebt, daar boven bij God. Dag, mam... lief mens."

In de kamer moest Vera eerst even tot zichzelf komen voordat ze naar de foto kon zoeken die ze zo dolgraag wilde inlijsten. Toen ze er kort hierna mee in haar handen zat en ze een kus drukte op de afbeelding van het haar dierbare gezicht, kon ze het niet helpen dat er opnieuw tranen over haar wangen liepen. Je moeder verliezen is het ergste wat er is, bedacht ze verdrietig.

Het duurde geruime tijd voordat ze ertoe kon komen het

stapeltje brieven van het lint te ontdoen. Ze voelde zich bijzonder ongemakkelijk. De brieven, ooit aan mam verstuurd, waren immers niet voor haar ogen bestemd. Vergeef me mam, ik moet dit doen, het kan niet anders. De meeste brieven, ontdekte ze, dateerden uit de tijd toen pap en mam pas uit Rotterdam vertrokken waren en ze zich in Groningen hadden gevestigd. De brieven, begreep ze al gauw, waren afkomstig van vroegere buurvrouwen en vriendinnen die vanuit Rotterdam lieten weten dat ze Sjoerd en Riet Dexter misten. Het waren aardige brieven, waar Vera echter niet wijzer van werd. O, wacht, er was er eentje op de grond gevallen, die zou ze bijna over het hoofd hebben gezien. Ze keek op de achterkant van de envelop en in haar stak een jubelkreetje op: hebbes...! Emma Oosterlo, las ze en daaronder het volledige adres. Het kon niet missen, tante Emma en mam droegen immers dezelfde meisjesnaam. Ze begreep eruit dat tante Emma niet getrouwd was. Of was zij zo'n supermoderne vrouw dat ze de voorkeur gaf aan het blijven dragen van haar eigen naam? Dat hoorde je tegenwoordig vaker. Ze werd steeds nieuwsgieriger naar ene tante Emma!

Nu ze had gevonden wat ze zocht, kon ze er weer een stapeltje van maken en het lintje er weer netjes omheen strikken. Nee, toch even kijken van wie mam de kaarten had gekregen. Het was eigenlijk best wel grappig te ontdekken met wie mam vroeger contact had gehad. Het bleken dezelfde dames te zijn. Bij de laatste kaart die Vera uit een envelop tevoorschijn haalde, trok ze haar wenkbrauwen vragend op. Wat had dit in vredesnaam te betekenen? Had ze het wel goed gelezen? Ze vertrouwde haar eigen ogen opeens niet meer. Nog eens las ze de kleine priegellettertjes: „Ik kon het niet laten, ik moest je voor je verjaardag een kaart sturen. Gewoon om je te laten weten dat ik je niet vergeten ben. Als ik er geen berichtje van jou op terugkrijg, begrijp ik het waarom ervan. Nu wens ik je een fijne verjaardag en...

sorry mam, voor wat ik jou en pap heb aangedaan. Hester."

Met grote ogen boordevol ongeloof en vragen bedacht Vera opnieuw: Wat betekent dit? Hier snap ik echt niets van! Ene Hester die mam feliciteerde en zich jegens haar verontschuldigde met: „Sorry mam"...? Wat moest zij hiervan denken? Het zou toch niet waar zijn wat er in haar opkwam? Had zij een zus die Hester heette...? Sorry mam voor wat ik jou en pap heb aangedaan? Dat was toch zo duidelijk als wat? Goeie genade, wat overkwam haar dan nu weer? Ze had het gevoel dat ze niet stevig met beide benen op de grond stond, maar in het niets zweefde. Hester... een mooie naam, die van haar zus...? Als dat waar mocht zijn, zou zij niet meer zo moederziel op de wereld staan. Ze had altijd dolgraag een broertje of een zusje willen hebben, maar dat zou volgens haar de wens zijn van elk enig kind. Wat was er in het verleden van haar ouders in vredesnaam wel niet allemaal gebeurd! Mam en tante Emma hadden ooit ergens ruzie over gekregen; de ernst ervan durfde zij niet te onderschatten. Ze hadden het nooit meer goedgemaakt of bijgelegd en dat zei meer dan voldoende. Mam had er met haar niet over willen praten, had haar lippen demonstratief op elkaar geklemd. Nu vraag ik me af, dacht Vera, wat mam nog meer voor mij verzwegen hield. Dat zij een zusje had dat Hester heette...? Waarom had zij niet van haar bestaan mogen weten en wat had Hester uitgespookt dat zij zich ervoor moest verontschuldigen? Sorry, mam... Grote goedheid, maar dat was toch zo duidelijk als wat!? Ik kom eraan, tante Emma! U bent de enige die mij hopelijk tekst en uitleg kan geven. U zult samen met mij in een grijs verleden moeten duiken! Ik kan nu alleen maar hopen dat u niet het zwijgende karaktertrekje van mam zult hebben. Tjonge... ik weet niet wat me overkomt, maar er is geen twijfel meer mogelijk: ik heb opeens een zus! Ik zou me schatrijk voelen, als ik bij Hester niet toch zo veel bedenkingen had. Want waarom, vroeg Vera zich vertwijfeld af, heeft Hester in al die jaren dan nooit contact met mij gezocht? Zusjes kunnen toch niet zonder elkaar? Of weet zij op haar beurt niets af van mijn bestaan? Maar waarom dan niet en waarom is het nu zo akelig stil om mij heen... Waar blijft de stem uit het verleden? Snapt dan niemand dat ik die wil horen...?

Vera had het moeilijk en het kon niet uitblijven dat zij in haar verdwazing van het moment hevig naar Cas verlangde. Ze verborg haar gezicht achter haar handen en wanhopig sprak ze hem in gedachten snikkend aan: Ik heb je heel erg hard nodig, Cas... Als ik nu even bij jou zou mogen wegkruipen, met je armen vast om me heen, zou alles er niet zo stikdonker voor me uitzien. Ik kan dit allemaal niet aan in mijn eentje. Ik wil met jou praten over Hester, mijn zusje en over mijn voornemen tante Emma te gaan opzoeken. Waarom heb je me zo wreed in de steek gelaten? Je weet toch dat ik je niet kan missen? Kom bij me terug, Cas... alsjeblieft, alsjeblieft...

Vera had niet verwacht dat haar smeekbede werd verhoord, maar toen die avond de telefoon overging, schrok ze op uit nog altijd zwaar gepeins en flitste het verheugd door haar heen: Het is Cas, nu poeier ik hem niet af, maar vertel ik hem over het bestaan van Hester, mijn zusje!

„Met Vera...?"

„Ik ben het, Andra. Net als Cas heb ik met je te doen. Ik moet met je praten. Ik kan het niet verdragen dat wij niet meer als voorheen met elkaar kunnen omgaan. Ik mis je, ik heb je nodig. Dat meen ik echt, Vera, ik denk er zelfs over om het uit te maken met Cas. Ik heb er veel, zo niet alles voor over om jou terug te krijgen."

Vera wist niet wat ze hoorde; ze geloofde er geen woord van en moest naar adem happen voordat ze van leer trok: „Wat voor gemeen spelletje zit jij dan nu weer te spelen? Jij hangt van leugens en bedrog aan elkaar. Denk je dat ik daar nog een keer in trap! Ik mis jou niet, ik minacht je tot in het

diepst van mijn hart. Ik heb je gezegd dat ik je nooit meer wil zien of spreken. Láát me dan ook met rust! Je bent in mijn ogen een sloerie. Jammer dat Cas dat niet inziet..."
Vera had haar zegje gezegd en zonder pardon verbrak zij de verbinding. En terwijl zij alle reden had om zich opnieuw aan een verdrietige huilbui over te geven en dat ook deed, zei Andra met een donker gezicht tegen Cas: „Je hebt gehoord wat ik tegen Vera zei. Het ontsnapte zomaar aan mijn lippen, maar zou het goedbeschouwd niet beter zijn als wij daadwerkelijk een punt achter onze relatie zetten...? Het is alleen maar moeilijk. Mijn ouders missen Eiko en aan jou moeten ze nog wennen. Ze zijn er allebei fel op tegen dat ik zo snel bij jou ben ingetrokken. Alles werkt tegen. Hoe kunnen wij dan samen gelukkig zijn? Dat vraag ik me de hele tijd al af en dan moet ik voornamelijk aan Vera denken. Want door ons toedoen is zij nu diep ongelukkig. Ik heb zo'n medelijden met haar, ik zie haar in gedachten aldoor zitten, moederziel alleen in dat grote huis..."

„Het vergaat mij net zo," bromde Cas. „Nu ik haar kwijt ben, voel ik me sterker dan ooit tot haar aangetrokken, maar dat gevoel zal ongetwijfeld voor het grootste gedeelte uit medelijden bestaan. Ik weet niet hoe het verder moet. Ik weet wel dat Vera's lot het mooie tussen jou en mij overschaduwt. Niettemin ben ik het niet eens met jou veronderstelling van daarnet. Wij houden oprecht van elkaar en dat moet ons hoe dan ook gegund worden. Ik moet er niet aan denken dat ik na mijn werk weer in een leeg huis thuis zou moeten komen. Ik wil dit huis delen met jou, het moet ons huis zijn en blijven. Ik houd van je, lieveling en dat gevoel is vele malen sterker dan mijn medelijden met Vera. Voor haar kunnen wij alleen maar hopen en bidden dat zij het geluk in de liefde ook zal vinden. Kijk niet langer zo donker, kom bij me en kus me."

Andra snelde op hem toe en nadat ze Cas hartstochtelijk had gekust, zei ze met een van tranen omfloerste stem:

„Liefde is sterker dan al het overige. Het betekent voor mij dat ik jou niet meer los kán laten. Arme Vera, dat wel..."

Vera wilde niet meer aan het gesprek met Andra denken; ze deed daar althans alle mogelijke moeite voor. Om de stilte om zich heen te verjagen had ze de radio knoerthard aangezet. Op een gegeven moment belandde ze in gedachten bij Eiko en hoorde ze hem weer zeggen dat hij niet al te lang bij de pakken neer wilde blijven zitten. Het is een goed voorbeeld, bedacht Vera, voor mij geschikt om op te volgen. Met je handen in je schoot blijven zitten piekeren loste niks op, ze kon maar beter iets gaan doen. Spullen inpakken voor morgen bijvoorbeeld, haar pinpas klaarleggen zodat ze die niet vergat! Ze veerde op en even hierna was ze druk bezig met het inpakken van een klein, handig reiskoffertje. Ze had geen idee wat haar morgen te wachten stond, maar ze wist nu al dat ze niet in één dag op en neer naar Rotterdam zou gaan. Ze was erop voorbereid dat tante Emma haar bij de deur zou kunnen laten staan en te kennen zou geven dat ze haar niet spreken wilde. In dat geval zou ze de voor haar vreemde stad gaan verkennen. Ze zou dan een niet al te duur hotel of pension zoeken en de volgende dag bij een uitzendbureau gaan informeren of er een leuke baan voor haar was. Of liep ze nu te hard van stapel? Maar ze moest immers niet bij de pakken neer gaan zitten, maar vooruitkijken en opnieuw willen beginnen. Dank je wel, Eiko...

De treinreis de volgende dag beleefde Vera, in tegenstelling tot in haar droom, niet als aangenaam. Ze vond het een lange, saaie zit en vroeg zich af of ze niet toch beter in haar auto had kunnen stappen. Maar gedane zaken nemen geen keer, bedacht ze berustend en gelukkig voor haar kwam er een eind aan de reis. Zoals ze zich had voorgenomen, liep ze op een van de taxi's toe die voor het station geparkeerd stonden. Ze gaf het adres waar ze zijn moest aan de chauffeur door en met een vriendelijke lach op zijn gezicht zei de man: „Het komt dik in orde, hoor meissie! Ik ken de stad uiteraard op mijn duimpje, maar daar waar jij moet zijn, heb ik toevallig familie wonen. Het is in een van de buitenwijken, in een van de betere buurten, mag ik wel zeggen!"

Het bleek een praatgrage man te zijn. Toen Vera vertelde dat zij hier voor het eerst was, somde hij uitvoerig tal van bezienswaardigheden op die Vera volgens hem gezien moest hebben om over zijn mooie stad te kunnen meepraten. Zijn verhalen gingen bij Vera het ene oor in en het andere oor uit; zij had andere dingen aan haar hoofd, die van louter spanning voor een wee gevoel in haar maag zorgden. Toen de taxi op een gegeven moment stopte en de man het bedrag noemde dat ze hem schuldig was, had Vera de tegenwoordigheid van geest om te zeggen: „Waarschijnlijk zult u het bedrag moeten verhogen. Ik wil namelijk graag dat u even wacht. Voor het geval ik... uh, niet naar binnen kan omdat de bewoners niet thuis zijn of zo. In dat geval heb ik u weer nodig."

„Doe maar rustig aan, ik wacht wel even. En dat kost jou niets extra. Zie het maar als service van de zaak!"

„O, dat is erg aardig van u. Dank u wel dan alvast, voor de moeite."

Ze rekende haastig af en stapte uit. En dan keek ze naar het huis waar ze voor stond. Het was inderdaad een vriendelijk ogend huis, vond ze, een twee-onder-een-kap-woning. Ze liep op de voordeur toe en drukte met een trillende vinger op de bel. Toen de deur open werd gedaan, hoorde Vera niet dat de taxi wegreed. Zij keek naar de vrouw in de deuropening en in een flits, minder dan een seconde, ging het door haar heen: Ze is het evenbeeld van mam. Ze was even klein en mollig, had hetzelfde korte, grijze haar en dezelfde lieve ogen achter een modieuze bril, deze vrouw die haar vragend aankeek. Toen dat tot haar doordrong, haastte Vera zich bekend te maken en zei ze met een nerveus lachje: „U zult zich wel afvragen wat ik kom doen. Ik ben Vera, de dochter van uw zus Riet..." Vera stak aarzelend een hand uit, die Emma Oosterlo met haar beide handen omsloot.

„Ach, meisje toch..." Ze moest iets verwerken voordat ze verder kon gaan. „Door de jaren heen heb ik dikwijls aan je gedacht en nu kom je me uit eigen beweging bezoeken. Dat vind ik bijzonder aardig van je. Kom binnen!" Hierna keerde ze zich om en liep het huis binnen. Vera volgde haar beschroomd. Zij had er echter geen idee van dat het door Emma heen schoot: Het is lang geleden toen er op een dag net zo onverwacht een ander jong meisje bij mij voor de deur stond. Ook haar liet ik toen binnen...

In de gezellig ingerichtte kamer wees Emma op een tweezitsbankje. „Ga maar gauw lekker zitten. Je zult wel moe zijn van de lange reis."

„Dat valt mee, ik heb het zittend kunnen doen..." Ze lachten onwennig in elkaars ogen.

„Toch moet je vroeg van huis zijn gegaan, want het is nog geen elf uur! Ik heb al koffie gedronken, maar de kan is nog niet leeg. Ik schenk jou een kopje in en neem er zelf ook nog een. Melk en suiker?"

„Nee, dank u, ik drink de koffie zwart."

„Alle beetjes helpen, want daardoor ben jij zo'n slank dennetje. Ik zou er een voorbeeld aan moeten nemen, dan zou ik vast niet almaar dikker worden. Want kijk, ik doe twee suikerklontjes in mijn koffie en een flinke scheut room. Als ik had geweten dat ik bezoek zou krijgen, had ik je een gebakje aangeboden, maar nu zullen we het met een plakje koek moeten doen."

Achter het lachje dat Vera haar schonk, verborg zij haar gedachten: ze is een aardig mens, het valt me tot nog toe reuze mee. Ze nam een hapje van haar koek en toen ze haar mond leeg had gemaakt gaf ze haar tante een welgemeend compliment: „U heeft een mooi huis, bijzonder smaakvol ingericht. Aan de buitenkant leek het me een groot huis; bewoont u het alleen?"

Emma maakte een bevestigend hoofdknikje. „Ja en daar heb ik helemaal geen moeite meer mee. Ik ben niet getrouwd geweest, louter door het feit dat ik de voor mij ware Jacob niet heb mogen ontmoeten. Vroeger, in mijn jonge jaren, had ik het daar best moeilijk mee, moet ik eerlijkheidshalve bekennen. Toen hunkerde ik naar een arm om me heen. Ik wilde dolgraag kinderen, maar dat was kennelijk niet weggelegd voor mij. Daar heb ik vroeger menig traantje om gelaten; inmiddels ben ik dik tevreden met wat ik heb. Ik heb er alle tijd voor gekregen om te kunnen bedenken dat het alleen zijn voor mij ook voordelen had. Ik ben altijd verpleegster geweest en als ik nachtdienst had kon ik overdag ongestoord slapen zonder me om wie dan ook te hoeven bekommeren. Ieder van ons krijgt wat hem of haar toekomt, zeg ik altijd en als ik dan mijn eigen zegeningen tel, mag ik niet ontevreden zijn. Ik heb een fijne vriendenkring en hoewel ik al lange jaren geen zieken meer verpleeg, trek ik me het lot van bepaalde mensen nog wel aan. En niet alleen dat; als het in mijn vermogen ligt, steek ik graag een helpende hand uit. Hierbij denk ik aan Dinand Kersten, hij is mijn buurman en bewoont de andere helft van het huis. Het is misschien wel goed jou over hem te vertellen, want je zult hem straks ontmoeten. Hij eet tussen de middag namelijk altijd bij mij. Maar voordat ik verder ga, krijg jij eerst nog een kopje koffie, want op één been kun je niet lopen. Toch?" Ze lachte, stond bedrijvig doend op en toen ze er weer bij zat, nam ze de draad van het gesprek weer op. „Ik hoef maar aan Dinand te denken om te mogen concluderen dat de liefde heus niet altijd op een zwevende roze wolk lijkt. Dus, wie weet waar ik voor gespaard ben gebleven!" Dat laatste zei ze in volle ernst en nadat ze haar koffie op de voor haar juiste smaak bracht door het toevoegen van een paar klontjes suiker en een wolk room, stak de praatgrage vrouw opnieuw van wal. „Dinand Kersten is een schat van een man, een en al goedheid, ik snap nog steeds niet waarom het verdrietige juist hem moest overkomen. Ik herinner het me nog klip en klaar dat ze naast me kwamen wonen, Dinand, zijn vrouw Jolanda en hun zoontje Joep. Het leek een ideaal gezinnetje. Jolanda was een zorgzame moeder en een uitstekende huisvrouw. In die tijd had Dinand het schoonmaakbedrijf dat hij nog steeds runt, pas overgenomen van de vorige eigenaar. De zaak ligt hier bijna om de hoek. Dinand ging en gaat er 's morgens te voet naar toe. Ik had weinig contact met het jonge stel, we groetten elkaar en maakten over de heg die onze achtertuinen scheidt, een praatje en dat was het dan wel. Dat werd anders toen Jolanda op een dag samen met het kleine jongetje voorgoed vertrok. Dinand kwam persoonlijk bij me om te vertellen dat zijn vrouw verliefd was geworden op een ander en dat ze met hem naar Oud-Beierland was vertrokken. „Omdat wij onder hetzelfde dak van het huis wonen, leek het me verstandig u te zeggen hoe de vork in de steel zit. Dan hoeft u tenminste niet naar het waarom te gissen of op praatjes van anderen af te gaan." Ik vond het aardig, maar ik kreeg al snel door dat Dinand minder dapper was dan hij zich tegenover mij voordeed. Op een gegeven moment kreeg hij het te kwaad en kon hij zijn tranen niet meer voor mij verbergen. Toen heb ik troostend een arm om hem heen gelegd en dat gebaar was het begin van elkaar hulp bieden. Omdat ik bang was dat hij anders tekort zou komen, heb ik hem ertoe bewogen bij mij de warme maaltijd te gebruiken. In het begin was het een vorm van iets voor hem te willen betekenen, inmiddels is het een vastgeroeste gewoonte geworden die al een paar jaar voortduurt. We varen er allebei wel bij, ik heb iets om voor te zorgen en Dinand doet op zijn beurt veel voor mij. Hij onderhoudt mijn tuin en er hoeft in huis maar een apparaat of wat dan ook kapot te zijn, of Dinand herstelt het voor me. Mooi toch, dat we elkaar op deze manier kunnen helpen?"

Vera had geboeid naar het verhaal geluisterd. Nu vroeg ze:

„Hoe oud is uw buurman en gaat hij nog gebukt onder wat zijn vrouw hem heeft aangedaan?"

„Dinand is achtentwintig jaar, bij mij vergeleken in de bloei van zijn leven. De scheiding is destijds vrij snel uitgesproken. Ik kan vanzelfsprekend niet in zijn hart kijken, maar ik geloof hem op zijn woord als hij zegt dat hij niet meer onder zijn scheiding lijdt. Hij mist Joep vanzelfsprekend wel; hij ziet zijn kleine knulletje maar sporadisch. Maar nu ben ik lang genoeg aan het woord geweest, dacht ik zo! Ik heb je een beknopt beeld geschetst van mijn leven, nu is het aan jou om mij het een en ander te vertellen. Hoe is het met Riet, mijn zus...?" Bij het stellen van die vraag keek ze Vera ietwat verlegen aan.

„Mam leeft helaas niet meer..." Terwijl Vera een adempauze nam, dacht Emma: ik wist het al, dat Sjoerd en Riet allebei niet meer leven. Hoe zij aan hun eind zijn gekomen, is voor mij echter altijd een kwellende vraag gebleven. Emma luisterde dan ook met ingehouden adem toen Vera de draad weer opnam en over de dood van haar vader en vervolgens uitvoerig over die van haar moeder vertelde. Ze hakkelde af en toe, want het kostte haar moeite aan deze voor haar vreemde vrouw te vertellen hoe zij mam die bewuste ochtend had gevonden en hoe bang zij lange tijd daarna voor haar slaapamer was geweest. Ze besloot de uiteenzetting met een verontschuldiging: „Het spijt me echt heel erg, tante Emma, dat ik u geen bericht over mam haar heengaan heb gestuurd. Ik kon uw adres niet opzoeken. Het zal wel kinderachtig klinken, maar ik durfde echt geen voet in die kamer te zetten. Ik was doodsbang voor het beeld dat zich dan weer aan mij zou opdringen. Al met al was het er de oorzaak van dat ik u niet kon bereiken en dat spijt mij echt heel erg..."

„Je hoeft je niet te verontschuldigen; ik begrijp het wel. Als je zo jong bent als jij, laat je je vaak bang maken zonder er tegen te kunnen vechten. Het hoort bij je leeftijd. Laat het een geruststelling voor je zijn dat je daar bij het ouder worden geen last meer van zult hebben. Ik spreek uit ervaring, ik ben al zesenzestig!"

„Mam was vierenzestig toen zij zo plotseling overleed. Ik vond haar niet oud en zo ziet u er ook niet uit! U lijkt op mam. Toen ik u daarstraks in de deuropening zag staan, schrok ik ervan. De gelijkenis is echt verbazingwekkend, zelfs uw stem klinkt als die van mam. Mam heeft zich het Gronings nooit eigen kunnen maken, ze bleef het zangerige Rotterdams accent houden."

Vera zweeg en het was alsof Emma haar gedachten hardop uitsprak. „Ja, Riet en ik leken op elkaar. Hoewel we twee jaar in leeftijd verschilden, werden we vroeger wel eens voor een tweeling aangezien." Ze zuchte en sloeg haar ogen weer naar Vera op. „Ik neem aan dat jij je angst voor Riets kamer hebt kunnen overwinnen. Je bent er binnen geweest, begrijp ik en je vond mijn adres. Vervolgens ben je naar me toe gekomen om me alsog op de hoogte te stellen van het overlijden van mijn zus? Dat waardeer ik; het is echt heel lief van je."

„Zo is het niet helemaal," bekende Vera. „Ik ben voornamelijk gekomen omdat ik... het moeilijk had. Ik heb verdrietige dingen meegemaakt. Ik voelde me ziek van ellende en vreselijk eenzaam. U bent de enige met wie ik me verbonden mag voelen; verder is er voor mij geen sterveling op de wereld. Ik had u gewoon nodig en hoewel ik tegen de ontmoeting met u opzag, ben ik nu blij dat ik de reis heb ondernomen. Ik vind u bijzonder aardig..."

Emma glimlachte vertederd. „Een dergelijk compliment ontvang ik niet iedere dag. Maar vertel eens, hoe komt het dat jij je zo eenzaam en verloren voelt. Je hebt toch wel vrienden en vriendinnen, collega's van je werk, of studeer je nog? Ik schrok van je bekentenis, maar volgens mij staat geen mens echt moederziel alleen in het leven."

Vera vertelde dat ze op een uitzendbureau werkte. „Omdat

ik me zo beroerd voel heb ik me ziek gemeld. Het was een leugentje om bestwil. En ja, ik heb fijne collega's, maar na kantoortijd hebben we geen contact. Zo is het altijd geweest totdat een bijzonder aardige jongen ons team kwam versterken. U raadt wellicht al dat ik smoorverliefd op hem werd en hij op mij. Ik vond en vind nog steeds dat wij bij elkaar horen als het bekende doosje en het dekseltje. Nu moet ik u eerst vertellen dat ik een hartsvriendin had en dat zij en ik tegelijkertijd verkering kregen. Van toen af aan waren we niet meer als voorheen met ons tweeën, maar beleefden we een geweldige fijne tijd met ons viertjes. Ik was zo gelukkig dat het verdriet om mam er zelfs een beetje van ging slijten. Ik voelde die heel scherpe kantjes niet meer zo pijnlijk. Het kwam echter in alle hevigheid terug toen ik erachter kwam dat zij die ik mijn beste vriendin noemde, mijn vriend van mij had afgepikt. Ik heb hen betrapt tijdens een lange, innige zoenpartij, die alle twijfels voor mij uitwiste. Ze gaven trouwens volmondig toe dat ze van elkaar waren gaan houden en samen verder wilden. Begrijpt u dat ik hem en haar nooit meer wil zien? En dat dat betekent dat ik wel degelijk helemaal alleen ben overgebleven..."

„Ach meisje, wat spijt me dit voor jou," zei Emma bewogen. „Het lijkt warempel op wat Dinand is overkomen. Het maakt mij weer eens duidelijk dat de liefde echt niet altijd iets is om verlangend naar uit te zien! Maar dat jij mij in je nood nodig had, streelt mijn hart, moet ik bekennen. Ik hoop dan ook innig dat ik iets voor je kan en mag betekenen."

„U heeft al veel voor me gedaan door me binnen te laten. Gezien het verbroken contact tussen u en mam had u voor hetzelfde geld niks met mij te maken willen hebben. Daar was ik op voorbereid. Het feit dat het anders mocht verlopen, getuigt ervan dat u een menslievende vrouw bent." Vera zweeg even om na te kunnen denken. Toen ze haar ogen weer opsloeg naar haar tante, klonk haar stem smekend klein: „Mam heeft er nooit een woord over willen loslaten. Wilt u mij vertellen, tante Emma, wat er vroeger tussen jullie is voorgevallen...?"

Emma schrok zichtbaar. Ze verbleekte en verlegen met de situatie haspelde ze: „Nu vraag je wel erg veel... het onmogelijke, zou ik haast zeggen..."

Daarop haastte Vera zich te verontschuldigen: „Het spijt me. Het lag zeker niet in mijn bedoeling u in verlegenheid te brengen. Ik begrijp dat ik mijn nieuwsgierigheid moet bedwingen en ook dat ik uit mezelf had moeten bedenken dat het iets was tussen u en mam dat mij niet aangaat. Sorry voor mijn lompheid, maar ik zit met nog een vraag en die zult u ongetwijfeld wel kunnen en willen beantwoorden."

Emma's gezicht vertrok alsof ze iets voelde aankomen en afstandelijk opeens zei ze: „Ik kan er pas ja of nee op zeggen als jij de vraag gesteld hebt. Doe dat dan maar..."-

Vera was zich van geen kwaad bewust toen ze vertelde dat zij per toeval op een kaart van ene Hester was gestuit. „Via die kaart feliciteerde zij mam met een van haar verjaardagen. Verder stond er letterlijk: „Sorry, mam, voor wat ik jou en pap heb aangedaan." Aanvankelijk snapte ik er niets van, totdat het tot me doordrong dat ik een zusje had. Het was en is voor mij een blijde gewaarwording en tegelijkertijd een met tegenstrijdige gevoelens. Want uiteraard ging ik me afvragen waarom Hester nooit contact met mij heeft gezocht. Wat in vredesnaam heeft haar daarvan weerhouden? Kunt u mij dat vertellen, tante Emma...?"

Emma verstijfde in haar stoel, maar dat ontging Vera. En net zo min kon zij weten dat Emma het als uitstel van executie beschouwde toen op dat moment de deur openging en Dinand binnenkwam. Emma moest behoorlijk wat wegslikken voordat zij quasi onbezorgd en vrolijk tegen Dinand kon zeggen: „Je bent vroeger dan normaal. Ik sluit echter niet uit dat ik de tijd vergeten ben, waardoor het eten niet als gewoonlijk op tafel staat. Als excuus daarvoor kan ik aanvoeren dat ik onverwacht bijzonder prettig bezoek heb gekregen van mijn nichtje. Ik zal je snel aan haar voorstellen!"

Vera stond op en legde haar hand in die van de man voor haar. „Ik ben Vera, een beetje het verloren gewaande nichtje van tante Emma." Dinand beantwoordde het schuchter aandoende lachje van Vera met een open lach. „Dinand is de naam! Ik heb al het een en ander over je gehoord. Het is spannend jou nu in het echt te mogen zien."

Emma haastte zich het een en ander recht te trekken. „Het was helemaal niet nodig te verklikken dat ik met jou over Vera heb gesproken. Maar nu jij dan toch je mond voorbij hebt gepraat, kan ik op mijn beurt zeggen dat ik Vera daarstraks heb verteld wat jou is overkomen. En nu verdwijn ik naar de keuken! Ik heb gelukkig vanochtend een ovenschotel voorbereid, dus ik hoef er alleen maar een pannetje rijst bij te koken." Emma maakte zich uit de voeten. Vera voelde zich een beetje opgelaten jegens de man tegenover haar. Ze had met hem te doen; ze kon immers extact aanvoelen wat hij destijds gevoeld moest hebben. Of misschien nog voelde? Ze vond hem best een leuke man om te zien. Hij had een lang, slank postuur, blond haar en echt wat je noemt hemelsblauwe ogen. Dat vond ze bij een man heel apart. „We zitten stommetje te spelen!" Die stellingname van Dinand verbrak Vera's gemijmer over hem. Nu zond ze hem een ongedwongen lach. Het drong niet tot haar door dat de naam Hester opeens uit haar gedachten verdwenen was. „Naar alle waarschijnlijkheid voelen wij ons allebei wat ongemakkelijk? Het ís toch ook een rare gewaarwording dat wij bepaalde dingen over elkaar weten, terwijl we elkaar voor het eerst zien?"

„Doorgaans wordt er achter je rug meer over je gepraat dan je zelf bevroeden kunt," oordeelde Dinand.

Vera knikte beamend; dan zei ze in volle ernst: „Ik heb met je te doen, dat mag je gerust weten. Tante Emma gaat ervan uit dat jij er weer wat overheen bent, maar ik vraag me af of zij zich niet vergist? Het is niet niks wat jij te verstouwen kreeg."

Dinand schokschouderde. „Het kwam hard aan, als een donderslag bij heldere hemel. Ik dacht dat we het mooi en goed hadden met ons drietjes, maar daar dacht Jolanda dus heel anders over. Het is inmiddels een paar jaar geleden en nu kan ik zeggen dat ik mijn ex-vrouw voor geen prijs meer terug zou willen hebben. Ik heb mijn zaak waar ik mijn ziel en zaligheid in kan leggen, mijn vrienden en bovendien een bovenstebeste buurvrouw! Jouw tante Emma bemoedert mij een beetje, al heeft ze dat zelf niet in de gaten. En ergens komt dat mij soms wel van pas, want mijn eigen ouders wonen in Zeeland en dat is niet naast de deur."

Vera zocht peilend zijn gezicht af. „En je zoontje? Hem zul je volgens mij verschrikkelijk missen."

De matte glimlach om zijn mond deed triest aan. „Joep... Aan hem denk ik zowat dag en nacht. Hij is de ware liefde in mijn leven en als je die wreed moet missen, sta je niet constant te juichen, kan ik je zeggen!"

„Dat hoef je mij niet uit te leggen, ik weet het bij ondervinding. Ik heb nog maar net een verbroken relatie achter de rug, waar ik nog niet overheen ben. Net als jij was ik er niet op voorbereid..."

Doordat hij iets van Vera's voorgeschiedenis af wist en hij haar dit er niet bij gunde, zei hij meewarig: „Ach heden, ook dat nog."

Daarop echode Vera en ze keek hem er doordringend bij aan: „Hoezo, ook dat nog...? Of weet jij meer, zo niet alles over mij en mijn verleden? Ken jij mijn zus Hester misschien...?"

Alsof Emma voortdurend op haar hoede was geweest, zo stak zij op dat moment haar hoofd om het hoekje van de deur en vroeg ze Dinand of hij de tafel wilde dekken. „Ik kan wel even een extra handje gebruiken en jij weet uit welke kasten je moet pakken wat we nodig hebben!"

Dinand stond op. Tegen Vera zei hij lachend: „Nu hoor en zie je zelf dat ik hier kind aan huis ben!" Hierna was hij druk doende en besloot Vera de keuken op te zoeken, in de hoop dat zij tante Emma een handje kon helpen.

Een kwartiertje later zaten ze aan tafel en nadat er over en weer nietszeggende gesprekjes waren uitgewisseld, wendde Dinand zich tot Vera. „Ik heb geen idee hoelang jij hier blijft, maar zou je anders een keer met mij willen uitgaan? Ik ken tal van gezellige gelegenheden!"

Stomme vraag, vond Vera. Uitgaan zonder Cas, daar stond haar hoofd helemaal niet naar. In haar verlangen naar hem realiseerde ze zich nu helder en klaar dat ze thuis een overhaast besluit had genomen. Ze wilde hier niet blijven en zeker geen werk zoeken. Ze moest leren haar verstand beter te gebruiken. „Ik ga morgen in de loop van de dag weer naar huis. Ik was van plan om voor één nachtje een hotel of pension te zoeken, maar als het van u mag, tante Emma, zou ik liever bij u overnachten. Ik vind het gezellig bij u," voegde ze er naar waarheid aan toe.

Emma beantwoordde Vera's vraag. „Of het van mij mag, vraag je? Kind, als het aan mij lag, bleef je hier voorgoed. Het is een bijzonder goed gevoel jou om me heen te hebben!"

Vera begreep niet waarom tante Emma's ogen opeens zo vochtig werden. En ze kon er niet naar vragen, want Dinand nam het woord. „Het klokje van gehoorzaamheid tikt voor mij, ik moet er hoognodig weer vandoor! Hopelijk zie ik je morgenmiddag dan nog en anders een volgende keer?"

Vera haalde haar schouders op. „Wie weet?" Toen Dinand als afscheid zijn hand naar haar uitstak, legde Vera die van haar erin en zei ze welgemeend: „Het was prettig kennis met je te maken."

Dinand lachte breed. „Maar dát is wederzijds!" Hij gaf

Emma een kusje op haar voorhoofd en vervolgens liet hij de beide vrouwen alleen.

Nadat ze gedankt hadden, bracht Vera de vuile borden en dergelijke naar de keuken en rangschikte Emma de boel in de vaatwasser. Onderwijl praatte zij: „Ik meen te mogen vaststellen dat het bijzonder goed klikte tussen jou en Dinand? Ik hoop dat er iets moois tussen jullie opbloeit! Dat zou fantastisch zijn, voor jullie allebei!"

Met haar handen vol vuile vaat bleef Vera stokstijf staan en wees ze haar tante verontwaardigd terecht. „Als u dát denkt, tante Emma, zit u er goed naast, hoor! Ik houd maar van één bepaalde man op de wereld en dat zal altijd zo blijven! En aangezien mijn liefde voor hem niet meer beantwoord kan worden, zal ik net als u verder alleen door het leven gaan."

„Het is goed, kindje," suste Emma, „ik had mijn mond moeten houden."

Kort hierna zaten ze weer in de kamer en waar Emma bang voor was, gebeurde, want toen hielp Vera haar herinneren: „Voordat Dinand binnenkwam, vertelde ik u over de kaart die Hester aan mam stuurde. We konden er toen niet op doorgaan. Wilt u me dan nu over mijn zusje vertellen? Ik ben zo verschrikkelijk benieuwd naar haar, dat begrijpt u toch wel?"

Emma wierp haar een wazige blik toe, haar mondhoeken trilden verdacht. Toen ze bleef zwijgen, alleen maar naar haar nerveus wriemelende handen in haar schoot staarde, spoorde Vera haar aan: „Tante Emma...? Waarom zegt u niets, of is er iets met Hester aan de hand...?"

Nu hief Emma tergend langzaam haar hoofd op en zei aangeslagen: „Met je gevraag over Hester maak jij het me nog moeilijker dan zopas, toen je het over Riet had. Het verleden lag zo lang diep begraven en nu wil jij het weer boven spitten, terugbrengen in het heden...? Ach kind, wat moet ik zeggen op al dat pijnlijke gevraag van jou?"

„Misschien gewoon de waarheid? Ik heb toch het recht, tante Emma, te weten wat er met mijn zusje aan de hand is?"

De blik waarmee Emma haar aankeek, omschreef Vera als gekweld wanhopig. Op hetzelfde ogenblik was het voor haar alsof ze hard werd toegeschreeuwd, terwijl Emma in werkelijkheid bijna onverstaanbaar zacht fluisterde: „Hester... zij is niet je zus, ze is je moeder... Waarom laat je me dit zeggen? Ik had zo graag mijn mond gehouden."

Dat laatste geprevel drong niet tot Vera door; zij had alleen het voor haar belangrijkste verstaan. Het was voor haar de stem uit het verleden die zij nog niet lang geleden zo graag had willen horen. Nu had die stem luid en duidelijk in haar oor geklonken: Hester is je moeder. Het jonge meisje keek haar tante niet-begrijpend, kinderlijk hulpeloos aan. „Het kan niet waar zijn wat u zei: mam was mijn moeder. De liefste, de beste die ik mij kon wensen. En nu beweert u dat mam mijn... oma was? Toe, tante Emma, zeg dat u zich vergiste, of dat u wartaal sprak..."

„Zou je me geloven als ik de bekentenis van daarnet weer introk?"

„Nee... Maar u mag nu niet, zoals mam altijd heeft gedaan, in stilzwijgen vervallen. Ik móét nu de waarheid weten. U zult het hele, voor mij duistere verleden aan mij moeten opbiechten. Dat begrijpt u toch zelf ook...!"

„Ja, als je a hebt gezegd, zul je b moeten zeggen. Dat is echter makkelijker gezegd dan gedaan. Ik kan het tenminste niet allemaal over mijn lippen krijgen. Ik kan mijn mondje aardig roeren, al zeg ik het zelf, behalve als het diepgevoelige zaken betreft. Dan ben ik net als mijn zus Riet. Als het ons al te moeilijk wordt gemaakt, vervallen wij liever in stilzwijgen dan dat we een woord over onze lippen laten glijden dat het daglicht moeilijk kan verdragen. In een zwak moment, toen het geheim voor mij te zwaar werd om te dragen, heb ik het aan Dinand verteld. Aan jou is het moeilijker, onmogelijk, moet ik zeggen..."

Toen ze zag hoe zielsverloren Vera haar aanstaarde, deed het haar deugd dat haar gedachten dwaalden naar datgene waarmee ze het meisje gerust kon stellen. „Kijk maar niet zo bang, want zonder mijn stem te gebruiken zal ik je toch uit deze, voor jou zo akelige droom kunnen halen. Ik heb namelijk alles opgeschreven. Van het begin tot het bittere eind. Door de jaren heen heb ik al dat vreselijke wat ik niet verwoorden kon, aan het papier toevertrouwd. Het was voor mij een heilzame therapie, die me heeft geholpen de dingen te verwerken. Het staat allemaal geschreven in een dik schrift met een harde kaft, je kent ze wel. Die zal ik aan jou geven en bij het lezen zal alles je duidelijk worden. De vraag of jij er naderhand blij mee zult zijn, durf ik mezelf niet te stellen..."

„Is het dan zo erg, tante Emma, wat er is gebeurd...?"

Emma knikte van ja en in diepe gedachten verzonken zweeg ze geruime tijd. Vanwege de ernst van het moment durfde Vera geen verdere vragen te stellen. Ze voelde zich tot het uiterste gespannen en slaakte dan ook onhoorbaar een zucht van verlichting toen Emma op een gegeven moment het stilzwijgen uit eigen beweging verbrak. „Ik heb eventjes zitten te denken en ben tot het besluit gekomen dat ik jou het schrift morgen, vlak voor je vertrek pas geef. En dat is niet om je te plagen, maar om je te helpen. Want als ik het nu geef, weet ik zeker dat jij de komende nacht lezend zult doorbrengen en dat lijkt mij niet wenselijk. Voor je eigen bestwil is het bovendien beter dat jij het verleden tot je laat komen in je eigen vertrouwde omgeving. Daar, waar jij helemaal en ongestoord jezelf kunt zijn in je reactie op wat ik je liever had willen besparen." Ze keek Vera dringend aan toen ze eraan toevoegde: „Je moet me met je hand op je hart beloven dat je er morgen, tijdens de treinreis, niet toch al aan begint!"

Toen Vera met een vertrokken snoetje haar die belofte gaf,

knikte Emma goedkeurend. „En dan lijkt het me nu wenselijk voor ons allebei dat we onze zinnen verzetten door de stad in te gaan. Als we thuis blijven, zullen wij het elkaar alleen maar moeilijk maken; in de stad zullen we de nodige afleiding vinden. Ben je het met mij eens?”

„Ja... Ik begrijp uw bedoeling en kan die alleen maar verstandig noemen. Maar dat ik straks in de stad gezellig zal doen, kan ik u niet beloven...”

„We kunnen niet meer dan ons best doen. Laat het een troost voor je zijn dat ik me net zo opgelaten voel als jij.”

Vera knikte begrijpend.

5

Toen Vera de volgende ochtend in de trein zat, voelde ze herhaaldelijk een bijna onweerstaanbare drang om het schrift toch uit het koffertje op te diepen en te gaan zitten lezen. Ze wist zich te beheersen door te bedenken dat ze vannacht almaar had liggen piekeren en zowat geen oog dicht had gedaan. In plaats van naar het schrift te grijpen kon ze beter proberen een poosje te gaan slapen. Ze vergat de medepassagiers om haar heen toen ze haar hoofd tegen de achterkant van de bank liet rusten en haar ogen sloot. Maar wat ze probeerde te bewerkstelligen, gebeurde niet. De slaap liet het afweten en dat kwam doordat haar gedachten op volle toeren werkten. Ze herbeleefde als het ware alles wat haar gisteren overkomen was. De kennismaking met tante Emma en Dinand Kersten. Ze voelde zich opnieuw gevangen in een web waar geen ontkomen aan was, toen ze terugdacht aan wat tante Emma had gezegd: Hester is niet je zus... Het was goed geweest dat ze gisteren gehoor hadden gegeven aan de suggestie van tante Emma en dat ze de stad in waren gegaan. Ze hadden er inderdaad de voor hen broodnodige afleiding gevonden. Ze hadden gewinkeld en op terrasjes gezeten en aan het eind van de middag had tante Emma haar bij een juwelier naar binnen geloodst en had ze van haar een gouden ringetje gekregen. Zij was er beduusd van geweest. In tante Emma's ogen had een gelukkig aandoend lachje geblonken toen ze zei: „Het is slechts een gebaar. Ik moet iets terugdoen voor het lieve dat jij mij hebt gegeven. Je weet niet half wat het voor mij betekent dat jij mij hebt opgezocht."

Lief mens, dacht Vera glimlachend. Het begin van de avond die erop volgde, was wat stroef verlopen. Ze hadden er allebei moeite mee gehad het verleden onaangeroerd te laten. Het was nog maar half negen geweest toen tante

Emma haar en zichzelf een wijntje voorzette. „We hebben het nodig om de spanningen in ons te onderdrukken," had ze met een verlegen lachje gezegd. Daarna was tante Emma bijna onafgebroken aan het woord geweest. Ze had verteld over de tijd toen zij als verpleegster aan een ziekenhuis verbonden was. Trieste verhalen, maar ook leuke anekdotes waar ze smakelijk om hadden gelachen. Ze had het waarom van het drukke gepraat begrepen en ze vond het knap van tante Emma dat zij op deze slimme manier het verleden had weten te ontwijken. En zo had ze ook begrepen dat tante Emma haar om dezelfde reden abnormaal vroeg naar bed had gestuurd. „Het is voor jou tijd om onder de wol te kruipen, Vera! Je wilt morgenochtend de trein van negen uur al nemen. Dat betekent vroeg opstaan en dus automatisch dat je er vroeg in moet! Ik hoop dat je zult kunnen slapen, maar uit voorzorg heb ik je daarstraks zeer welbewust een tweede glas wijn ingeschonken. Het is niet mijn gewoonte 's avonds een fles wijn open te trekken, maar nood breekt wet!"

Hoewel Vera nog helemaal geen slaap had gehad, was ze als een gehoorzaam meisje opgestaan. Ze was op tante Emma toegelopen om haar een nachtzoen te geven. De warme omhelzing die ze ervoor terugkreeg, de woorden die tante Emma sprak, hadden haar een beetje in verlegenheid gebracht. „Je bent een schat van een meid; ik zal je missen morgen. Nu ik je na al die jaren eindelijk heb leren kennen, besef ik pas waarom Riet zo dolgelukkig was met jou."

Ondanks de twee glazen wijn had de slaap geen vat op haar kunnen krijgen. Ze had zich almaar afgevraagd waarom mam dat hele ingrijpende voor haar verborgen had gehouden. En Hester, die niet haar zus bleek te zijn... Welke redenen had zij gehad om haar, Vera, al die lange jaren gewoon links te laten liggen? Het antwoord op al die prangende vragen zou te vinden zijn in het schrift dat tante Emma haar vlak voor haar vertrek zou overhandigen.

Waarom duurde de nacht zo lang en waarom moest er bovendien nog een lange treinreis aan voorafgaan voordat zij het schrift open mocht slaan? Tegen de ochtend was ze kennelijk toch nog in slaap gesukkeld, want tante Emma had haar moeten wekken. Ze hadden samen ontbeten en daarna was het voor haar tijd geweest om op te stappen. Toen ze ietwat beschroomd had gevraagd of tante Emma misschien vergat haar het schrift te geven, had zij gezegd: „Ik zag je koffertje daarstraks in de hal onder de kapstok staan; daar heb ik het toen in gestopt." Ze had haar indringend aangekeken en nog eens herhaald: „Beloof me, Vera, dat je het pas openslaat wanneer je thuis bent!"

Daarop had zij haar belofte gegeven en later, toen ze op het station afscheid namen, had ze tante Emma nog een belofte gedaan. Op haar zacht smekende vraag: „Kom je gauw weer eens bij me, lief kind...?" had zij, niet minder geëmotioneerd, gezegd: „Ik heb iedereen om me heen moeten verliezen, maar ik heb een lieve tante mogen terugkrijgen. Denkt u dat ik daar niet dankbaar voor en blij mee ben...? Ja, ik kom heel gauw bij u terug!"

Daarna hadden ze elkaar gekust en nagezwaaid zolang dat mogelijk was.

En nu was ze al een eind op weg naar haar eigen huis. Zou dat er anders voor haar uitzien nu ze wist dat zij erin groot was gebracht door haar grootouders...?

Op die vraag kreeg Vera antwoord toen er een eind aan de reis was gekomen en zij het huis binnenstapte waar ze met meer dan goede zorg en oneindig veel liefde had mogen opgroeien. In de kamer keek ze verloren om zich heen en toen ze zich in een stoel liet zakken, voelde ze pijnlijke tranen achter haar ogen branden en fluisterde ze: „Waarom mam, ontfermde jij je over mij en niet Hester, die in werkelijkheid mijn moeder was. En ís...?" Bij dat laatste realiseerde Vera zich dat zij minder dan de helft wist. Tante Emma had bekend dat zij de dingen die het daglicht niet konden verdragen, niet over haar lippen kon krijgen. Daardoor wist zij niet of Hester mogelijk nog springlevend was of ook al was overleden. In het schrift zou het beschreven staan; ze was erop voorbereid dat ze wellicht schokkende onthullingen te verwerken zou krijgen. Ze vond het opeens een beetje griezelig het schrift te voorschijn te halen. Kon ze maar een beroep doen op Cas. Hij zou haar kunnen steunen en troosten; hij had immers bijna hetzelfde meegemaakt. Hij was ook niet door zijn biologische ouders grootgebracht, maar door adoptieouders. Op eenzelfde wijze hadden mam en pap voor haar gezorgd. Pap en mam... zij kon die twee lieverds nu niet opeens als haar grootouders zien.

Het was opeens allemaal zo vreselijk complex en onnatuurlijk. Vannacht had ze haar hersens gepijnigd over de vraag wie haar biologische vader was. Want als het waar was dat Hester haar moeder was, dan moest er immers een man zijn die haar had verwekt. Leefde hij nog, misschien samen met Hester en vonden die twee het niet nodig zich om haar te bekommeren...? Goeie genade, wat gebeurde er toch met haar? Ze voelde zich weer ziek van ellende en onzekerheid. Cas... ik heb je zo nodig. Ik houd nog onverminderd veel van je en verlang naar je met elke vezel van mijn lichaam. Cas, help me... God, sta me bij...

Vera zou later niet kunnen navertellen hoelang zij zich had overgegeven aan een huilbui vol verdrietige tranen. Op een gegeven moment slaakte ze een diepe zucht en foeterde ze op zichzelf: je moet je verstand gebruiken; hier kom je geen snars verder mee! Ook al jank jij de hele wereld bij elkaar, dan nog komt Cas niet bij je terug. Hij heeft Andra, is gelukkig met haar en denkt niet meer aan jou. Zo en niet anders liggen voor mij de feiten, kon Vera bedenken nu ze zichzelf weer onder controle had. Niet bij de pakken gaan neerzitten, vooruitkijken en opnieuw beginnen. Ja, Eiko, je hebt gelijk, ik moet mijn ontspoorde treintje weer op de rails zien te krijgen. Die poging kan ik pas ondernemen, bedacht ze, als ik weet wie ik ben. En dat kan alleen een nu nog gesloten schrift mij vertellen. Dus...

Ja, ja, ik moet het pakken en openslaan, maar eerst zet ik een sterke pot koffie. Ze stond nu resoluut op en niet veel later nestelde ze zich in een hoekje van de bank met de koffiepot binnen handbereik. En omdat ze zich geen tijd meer gunde om zelfs maar een boterham te smeren, had ze een open trommel met koekjes voor zich neer gezet waarmee ze haar hongerige maag kon vullen.

En dan eindelijk sloeg ze het schrift open. Al snel was ze verdiept in het door haar tante geschreven verhaal dat haar meteen boeide.

Emma schreef: Ik kan me de trouwdag van mijn zus Riet nog moeiteloos voor de geest halen. En hoewel ik haar het geluk met Sjoerd als geen ander gunde, weet ik ook nog dat ik die dag een tikkeltje jaloers op haar was. Riet was twee jaar jonger dan ik; waarom mocht zij het geluk in de liefde wel vinden en ik nog steeds niet? Riet raakte al snel zwanger en ik was oprecht blij voor haar en Sjoerd. Maar toen Hester, hun prachtige dochtertje geboren werd en ook even in mijn armen werd gelegd, heb ik stille tranen gehuild. Een kindje dat uit jou geboren is en dus een deel is van jezelf, leek mij het toppunt van geluk. Waarom was dat voor mij onbereikbaar? Ik was toch ook een jonge vrouw met alle gevoelens van dien? Riet kende mij en zag mijn zielenstrijd. Ze troostte mij door te zeggen dat Hestertje ook een beetje van mij was. „Kom zo vaak als je wilt bij ons en als ik een lieve oppas nodig heb, zal ik een beroep doen op jou!" Riet bedoelde het lief, maar voor mij was het een schrale troost.

Zo voorspoedig als Riets zwangerschap verliep, net als de kraamtijd daarna, zoveel tegenspoed kreeg ze later te verwerken. Als ik het me goed herinner, was Hester nauwelijks een jaar oud toen Riet begon te klagen over buikkrampen.

Toen die niet vanzelf overgingen, maar uitmondden in hevige bloedingen, werd Riet op een dag in ijltempo naar het ziekenhuis gebracht. De uitslag van de onderzoeken die zij moest ondergaan, joeg ons allen schrik aan. Riet had een gezwel aan de eierstokken, dat operatief moest worden verwijderd, omdat de kans op kanker niet uitgesloten kon worden. Dat bleek achteraf gelukkig niet het geval, maar na de operatie kreeg ze wel te horen dat ze geen kinderen meer zou kunnen krijgen. Arme Riet, arme Sjoerd, zij hadden altijd verkondigd dat ze het liefst een groot gezin wilden. Vijf of zes kinderen was hun beider wens. Toen ze nog niet beter wisten, zei Sjoerd dikwijls met een verrukte blik in zijn ogen: „Denk je toch eens in wat mij te wachten staat als ik als schoolmeester elk jaar een van mijn eigen kinderen in de klas zal hebben. Dat is volgens mij het mooiste wat een leraar zich kan wensen!"

Voor zowel Riet als Sjoerd spatte er een zoete droom uiteen toen ze beseften dat ze tevreden zouden moeten zijn met het ene, kerngezonde kindje dat ze hadden. Ik durf niet te beweren dat het er de oorzaak van was, maar het is wel waar dat Riet haar kleine dochter in de watten legde en schromelijk verwende. En dat Sjoerd op zijn beurt ideaalbeelden koesterde jegens zijn kleine dochter, zijn oogappeltje. Als de tijd er rijp voor was, fantaseerde Sjoerd in die tijd, zou de havo voor Hester dienen als springplank naar hoger beroepsonderwijs. Zijn meisje zou een gespecialiseerde arts moeten worden, advocaat of meester in de rechten. Zo ver was het toen nog lang niet en zowel Riet als Sjoerd was nuchter genoeg om niet in een verre droom te blijven hangen. In plaats van begerig te kijken naar wat nog komen moest, genoten ze met volle teugen van hun enig kind. Hester groeide probleemloos op van baby tot kleuter. Het mag gezegd worden dat ze toen al een beeldschoon meiske was. Ze had donkerbruin haar en stralende groene ogen in een bijna perfect gezichtje. Na de basisschool ging ze, zoals

Sjoerd zich lang daarvoor al gewenst had, inderdaad naar de havo. Meteen al in het eerste jaar veranderde Hester toen van een vrolijk, volgzaam meisje in een dwarsliggertje dat de normen en waarden die haar ouders haar bij hadden gebracht, aan haar laars lapte. Hoewel ze goed kon leren, bracht ze er op school ook niets meer van terecht. Dit tot groot verdriet van Sjoerd. Hij sprak haar er streng over aan en gebruikte daarbij niet mis te verstane woorden. In haar zorg en liefde voor het meisje probeerde Riet zijn verregaande boosheid te sussen door hem erop te wijzen dat Hester volop aan het puberen was. „We moeten haar tegemoetkomen," pleitte Riet, „we moeten haar niet aldoor op de vingers tikken. Daar bereik je bij haar het averechtse mee!" Opnieuw deden ze allebei hun best er voor Hester te zijn, totdat ze door de ouders van een van Sjoerds leerlingen gewaarschuwd werden dat Hester omgang had met een jongen die Victor Bijboer heette. De mensen door wie Sjoerd getipt werd, wisten waar ze het over hadden, want kennissen van hen woonden in dezelfde buurt als Victor. En zo hoorde Sjoerd toen uit betrouwbare bron dat de jongen maar liefst vier jaar ouder was dan Hester en dat hij in een volksbuurt woonde die even slecht bekend stond als de knaap zelf. Er werd beweerd dat hij een dwangmatige leugenaar was en dat hij, zo jong als hij was, al seksueel wangedrag zou vertonen. Hij zou kleine meiskes van vijf en zes jaar oud betast hebben, maar dat ontkende hij ten stelligste. Mijn zus en zwager kregen een behoorlijke dreun te verwerken toen ze hoorden dat hun dochter op haar prille leeftijd al met een jongen omging en dat zij daar geen idee van hadden gehad. Dat die knaap bovendien niet deugde, was een schok die ze moeilijk te boven konden komen. Vanzelfsprekend werd Hester toen niet langer gespaard. In zijn wanhoop gebruikte Sjoerd niet mis te verstane woorden en vanzelfsprekend eiste hij dat Hester de omgang met de jongen verbrak. Hester was echter blind en doof van verliefdheid. En nadat zij de nodige tranen met tuiten had laten vloeien, verweet ze haar ouders, furieus en opstandig, dat zij niet wisten wat ware liefde was. „Victor en ik, wij houden van elkaar. Daar kunnen we toch zeker niks aan doen? Het is alleen maar mooi!"

„Je bent nog maar net een paar dagen dertien jaar!" had Sjoerd gebriest. „Je bent niks meer dan een snotneus die het woord 'liefde' nog niet eens in de mond mag nemen! Maar hoe dan ook, jij luistert naar ons! Je laat die jongen links liggen en anders ziet het ervoor jou niet best uit. Is dat begrepen, Hester!?"

Dit is mij destijds verteld door Riet en zo weet ik ook van haar dat Hester Sjoerd en haar uiteindelijk had beloofd dat zij zich zou schikken naar de wil van haar ouders.

Ik heb me vanaf Hesters geboorte gelukkig geprezen dat ik haar op gezette tijden onder mijn hoede mocht nemen. Tijdens de keren dat ik als oppastante mocht fungeren, ontstond er tussen Hester en mij een hechte band. Die zorgde ervoor dat zij me als klein hummeltje al op haar fietsje wist te vinden. Ik woonde overigens ook maar een paar straten verderop. In die voor haar moeilijke tijd met Victor Bijboer kwam ze mij op een dag weer eens met een bezoekje vereren. Net als altijd sloeg ze haar armen om me heen en kuste ze me spontaan. Ze had me echter nog maar net losgelaten, toen ze haar tranen de vrije loop liet. Snikkend vertelde ze me over de ware liefde in haar leventje en hoe fel haar ouders erop tegen waren. Ze polste mij door te zeggen: „U bent minder bekrompen dan mam. Daarom neem ik aan dat u, als ik uw dochter was, Victor eerst zou willen leren kennen voordat u op de roddels van anderen afging. Ja toch...?"

Vanzelfsprekend heb ik toen alle mogelijke moeite gedaan om haar te laten inzien dat zij van geen kanten bij die jongen paste. Op het laatst van dat gesprek heb ik haar gezegd zoals het was: „Jouw ouders zien het goed. Zij hebben het allerbeste met jou voor; luister alsjeblieft naar hen, lieverd!"

Daarop keek ze mij diep teleurgesteld aan en vervolgens haalde ze een foto uit haar schooltas tevoorschijn. „Dit is Victor. Kijk dan zelf, tante Emma, hoe lief hij eruitziet. En hoe knap hij is...!" De foto vertoonde inderdaad het beeld van een uitzonderlijke knappe jongen. Hij had donker haar en grote, diepbruine ogen die me vanaf het kiekje onbeschroomd toelachten. Ik moest Hester gelijk geven en bekennen dat ik zelden zo'n knapperd had gezien. Ik voegde er wel waarschuwend aan toe dat de buitenkant van een mens er niet toe deed, dat het innerlijk vele malen belangrijker was. Tegen een smoorverliefd meisje van dertien valt echter niet te praten. Dat kreeg ik in de gaten toen Hester onomwonden tegen me zei: „Het was stom van mij om bij u om raad te komen vragen. U hebt geen verstand van de liefde, want u bent een oude vrijster." Dat waar ik het in die tijd moeilijk mee had, werd me toen keihard in het gezicht geslingerd. Door een kind dat niet wist waar ze het over had. Jawel, maar toch.

Vera schrok op door het geluid van haar mobieltje. Nog helemaal in de ban van het verhaal maakte ze zich met verstrooide stem bekend: „Met Vera Dexter..."

Het bleek haar baas te zijn, Pieter van der Waal, die zijn naam noemde en vervolgens belangstellend informeerde: „Hoe gaat het met je? Knap je alweer een beetje op?"

„Ja... uh, het gaat wel." Er drong zich een vraag aan haar op die ze moest stellen. „Weet jij al dat het uit is tussen Cas en mij...?"

„Ja, ik ben door Cas op de hoogte gesteld. Onder vier ogen, als dat een geruststelling voor je mag zijn. Hoewel ik het beroerd vind voor jou, zul je begrijpen dat ik geen partij kan trekken. Jullie zijn voor mij allebei uitstekende krachten waar ik het niet graag zonder zou willen stellen."

„Toch ben ik bang dat ik ontslag zal moeten nemen. Ik heb

mezelf beloofd dat ik Cas nooit meer wil zien en die zelf gedane belofte zal ik op kantoor niet waar kunnen maken. Het spijt me… maar eh… ik moet je allereerst bekennen dat ik niet echt ziek was. Omdat ik een ontmoeting met Cas moest zien te voorkomen, durfde ik niet op kantoor te verschijnen. Als excuus kan ik aanvoeren dat ik me wel verschrikkelijk beroerd voelde, bij het zieke af. En zo voel ik me nog."

Dat begrijp ik, dacht Pieter mild glimlachend. Ik heb zelf een paar meiden van ongeveer jouw leeftijd en weet dus uit ervaring wat liefdesverdriet teweeg kan brengen. Je ziek en koortserig voelen, prááit me er niet van! Hij schudde zijn hoofd en zei tegen Vera: „Zie het niet al te donker in. Ik zal je tegemoetkomen door je nog een week ziekteverlof aan te bieden. Wat vind je daarvan?"

Hij had verwacht dat Vera er blij op zou reageren, maar haar stem klonk donker en bezwaard in zijn oor. „Een week is veel te kort, daar heb ik echt niks aan. Het is namelijk niet alleen vanwege Cas, dat ik me ellendig voel. Er zijn onverwacht andere moeilijkheden op mijn pad gekomen, waar ik me geen raad mee weet. Zeg dit alsjeblieft niet aan Cas, beloof me dat!" Ze wachtte zijn belofte niet af, maar deed hem een voorstel: „Is het niet mogelijk dat ik voor – laten we zeggen – onbepaalde tijd onbetaald verlof neem? Daar zou je me echt fantastisch mee helpen…"

Het bleef even stil, dan was zijn stem er weer. „Ik ben de kwaadste niet, al zeg ik het zelf. Ik voel aan dat ik je helpen moet en dus zeg ik ja op jouw voorstel. Kom tot jezelf en neem contact met me op als je het weer aan kunt. Heel veel sterkte, Vera en hopelijk spoedig tot ziens!"

„Dank je wel, Pieter… je bent echt groots."

De verbinding werd verbroken. Vera slaakte een zucht van verlichting toen ze bedacht dat dit precies was wat zij nodig had. Ze had al zo verschrikkelijk veel aan haar hoofd. Nu kon ze het uitzendbureau en alles wat daarmee samenhing, terzijde schuiven. Wat een opluchting!

Hierna haastte ze zich naar het toilet en weer terug in de kamer schonk ze zich een mok koffie in en ging haar hand werktuiglijk naar de koekjestrommel. Tot haar verbazing was die leeg; ze had dus al lezende behoorlijk zitten snoepen. Ze haalde er laconiek haar schouders over op en vervolgens boog ze zich weer over het schrift. Waar was ik gebleven. O ja, ik zie het al, bij het fragment waarin een jong meisje in wanhoop haar tante niet ontziet.

Hester, ze vond haar een apart meisje; hoe zou het met haar aflopen? Uit die zelfgestelde vraag bleek dat Vera het geschrevene tot dusverre had gelezen als een fictief verhaal. En wonderlijk genoeg las ze op dezelfde manier verder.

In de tijd die volgde, gedroeg Hester zich jegens haar ouders vaak onmogelijk. Ze was recalcitrant en keerde zich openlijk tegen hen. Mij zocht ze jammer genoeg ook niet meer op. Het moeilijke gedrag van Hester zaaide tweespalt tussen mijn zus en zwager. Sjoerd ergerde zich dagelijks aan Hester en liet dat merken door haar scheldend op haar plichten te wijzen. Riet daarentegen had medelijden met het meisje. In haar moederlijke zorg meende zij aan te voelen dat Hester hopeloos met zichzelf in de knoop lag. Man en vrouw, ze stonden in die tijd dikwijls lijnrecht tegenover elkaar. Als we bij elkaar waren, Riet, Sjoerd en ik, was Hester veelal het middelpunt van onze gesprekken. Riet huilde in die tijd veel, Sjoerd bleef vasthouden aan zijn gelijk, zoals hij het noemde. Hij probeerde zowel Riet als mij ervan te overtuigen dat Hester alleen gebaat was bij een strenge, harde aanpak. Slechts op die manier kon het goedkomen met haar, ook wat haar school betrof. Zodra Hester zichzelf had teruggevonden en ze zich weer aan de regels van dit huis wist te houden, zou hij zich weer met liefde voor haar inspannen. Vanwege het hopeloze gedrag van haar kreeg hij er nu de kans niet voor, maar dán zou hij zich persoonlijk inzetten om de achterstand die ze op school had opgelopen, weer in te halen. Want ondanks deze diepe inzinking zou Hester het volgens Sjoerd ver schoppen in haar leventje. „Dat weet ik wel zeker, daar help ik haar mee. Ik kijk er dan ook al reikhalzend naar uit. We zijn al een stukje op de goede weg, want ze ziet die knaap gelukkig niet meer. Ergens luistert ze dus nog wel naar ons en dat feit maakt dat ik de moed niet opgeef."

Er gingen twee jaar voorbij, maar nog altijd was het tij niet gekeerd. Hester leefde haar leven en om hun ongelijke zorg om hun enige dochter stonden Sjoerd en Riet te vaak als kemphanen tegenover elkaar. De bom barstte toen Sjoerd op een dag als eerste het slechte nieuws over Victor Bijboer te horen kreeg. Hester was in die tijd net vijftien jaar geworden, Victor Bijboer negentien. Sjoerd kreeg het schokkende nieuws te horen op een ouderavond van school. Dezelfde mensen die hem een paar jaar geleden hadden gewaarschuwd voor die jongen, vertelden hem toen dat Victor Bijboer een tijd geleden wegens wangedrag van school was gestuurd. En niet alleen van school, zijn ouders hadden hem om dezelfde reden de deur gewezen. En zo, zonder diploma en zonder werk, zou hij in de stad rondzwerven. Er werd gezegd dat hij bij een van zijn vrienden die net als hij, minder goed bekend stond, een zolderkamertje had weten te bemachtigen, zeker wist men dat niet. Wat echter wel als een paal boven water stond, was dat de knaap rovend en stelend aan geld en goed kwam. Dit kon gezegd worden, want Victor was al een paar maal betrapt en opgepakt wegens winkeldiefstal en tasjesroof. Hij werd telkens weer vrijgelaten nadat hij een bekentenis aflegde en beterschap beloofde. De mensen die dit aan Sjoerd hadden verteld, wisten niet wat ze bij hem teweegbrachten toen ze het als hun plicht beschouwden om ook aan meester Dexter te vertellen dat zijn dochter Hester nog regelmatig gezien werd in gezelschap van Victor Bijboer. Die avond, weer thuis, had Sjoerd

Riet ervan op de hoogte gesteld. Zij had met grote ogen van schrik een hand voor de mond geslagen, maar voordat zij haar mond had kunnen opendoen, vertelde Riet mij later, had Sjoerd haar beschuldigend aangekeken. „Waar is Hester? Ze had al in bed moeten liggen, in ieder geval allang thuis moeten zijn! Daar hoor jij op toe te zien, maar dat doe je niet. Niet voldoende, tenminste!" Daarop had Riet als altijd, sussend gezegd dat Hester bij een van haar vele vriendinnen was. „Je moet je niet meteen zo boos maken, Sjoerd! Ik weet net zo goed als jij dat Hester bijna geen avond meer thuis is. Maar dat komt alleen maar doordat zij zich bij ons niet niet meer op haar gemak voelt. Dat feit op zichzelf is erg genoeg; het plaagt mij verschrikkelijk. Om haar niet helemaal tegen ons in het harnas te jagen mogen wij haar de omgang met haar vriendinnen niet verbieden. Want dan zou bij haar het hek helemaal van de dam zijn. Dat begrijp je toch zelf ook?" had Riet er in volle onschuld achteraan gezegd. Sjoerd had het te kwaad gehad, er hadden tranen in zijn stem gelegen, vertelde Riet mij later, toen hij tegen haar had moeten zeggen dat Hester de hele tijd niet bij vriendinnen was geweest, maar bij Victor Bijboer. „Ze heeft níét naar ons geluisterd, ze gaat nog steeds met die jongen om! En daar draag jij schuld aan, Riet! Jij aait je dochter almaar liefdevol over haar hoofd, terwijl ze een pak voor d'r broek verdient. Want zeg eens eerlijk, heb jij ooit gecontroleerd of Hester inderdaad bij een vriendin was!?"

Daarop had Riet gezegd: „Nee, maar als mijn vertrouwen in Hester te groot was, had jij moeten ingrijpen door zelf controle op haar doen en laten uit te oefenen! Wij zouden elkaar geen verwijten moeten maken, we hebben het al moeilijk genoeg."

Dat Riet zich hierin vergiste, moesten ze wreed ervaren toen Hester kort daarna thuiskwam. Ze waren erop voorbereid dat zij, zoals haar gewoonte was geworden, na een stugge groet door zou lopen naar haar kamer, maar deze keer had Sjoerd haar daarvan terug kunnen houden. En nadat hij er briesend van woede uit had gegooid wat hem ter ore was gekomen, had hij willen weten wat hierop haar antwoord was. Met een vertrokken gezicht en grote schrikogen, had Hester bekend dat zij haar belofte met Victor te breken niet na was gekomen. „Ik houd van Victor… ik kan het zonder hem niet stellen. Waarom geloven jullie dat dan niet…" Riet had opnieuw medelijden met het meisje gehad, Sjoerd had het zowat uitgeschreeuwd: „Ben je nou zo dom of doe je alsof! Die vent is een crimineel, daar kún jij niet van houden! Daar ben je te goed voor," had hij er bewogen achteraan gezegd. Vanwege dat zachte in zijn stem, vermoedde Riet, had Hester haar vader een hoopvolle blik toegeworpen. Ze had haar hoofd diep gebogen toen ze zei: „Victor heeft het heel moeilijk. Zijn ouders willen niks meer met hem te doen hebben. Zij vinden het maar wat gemakkelijk dat ze verlost zijn van die zogenaamde moeilijke zoon van hen. Maar in zijn hart is Victor niet slecht. Ik móét hem helpen, er voor hem zijn, dan komt het heus goed met hem. Alles zit hem tegen. Hij woont inderdaad op een armzalig zolderkamertje van een van zijn vrienden. Hij moet er echter wel huur voor betalen en voor zijn eigen eten zorgen. Maar hij heeft geen werk en bezit geen cent. Dan moet hij toch stelen om niet van honger om te komen? Hij pakt wat hij nodig heeft uit winkels en hij heeft op straat oudere vrouwtjes van hun tas beroofd. Dat vind ik heel erg, Victor zelf trouwens ook. Het is allemaal heel erg moeilijk. De laatste maanden heb ik vaak gewenst dat ik dood was. Dan zou alles voorbij zijn en… hoefde ik het niet tegen jullie te zeggen." De nood die in die woorden had gelegen, was Sjoerd ontgaan; Riet had echter meteen aangevoeld dat er meer aan de hand was dan zij konden bevroeden. Ze was naast Hester op de bank gaan zitten en met een beschermende arm om het jonge meisje heen had Riet haar aangespoord: „Zeg het maar tegen mij, lieverdje. Wat maakt jou zo bang dat het leven je soms zwaar valt. Daar ben ik van geschrokken. Zoiets mag je niet meer zeggen, hoor Hester!"

Zij had zich als om hulp zoekend aan Riet vastgeklemd en in wanhoop had ze snikkend bekend dat ze de afgelopen maanden tegen Riet had gelogen wanneer ze zei dat ze ongesteld was geworden en tampons nodig had, die ze ongebruikt had weggemoffeld omdat ze niet ongesteld was, maar zwanger. Sjoerd had rechtop, als een blok graniet in zijn stoel gezeten en net als hij had Riet niet dadelijk geweten wat ze moest doen of zeggen. Ondertussen had Hester gekermd: „Ik ben al drie maanden zwanger, ik vind het zo erg, zo verschrikkelijk erg... Ik durfde het almaar niet tegen jullie te zeggen. Ik was de hele tijd alleen maar bang. Hoe moet het nou met mij. Ik wil helemaal geen kind, ik houd niet van kinderen. Ik wil het niet, ik wil het niet!" had ze opstandig uitgeroepen. Ze was weer het kleine meisje geweest dat haar ouders nodig had toen ze snikkend had gefluisterd: „Ik wil het kind echt niet; help me... mam, pap...?"

Goeie genade, schoot het hier door Vera heen, wat moet dat jonge meisje van toentertijd het onmenselijk moeilijk hebben gehad. Mam en pap overigens net zo goed. Wat deden zij om Hester te helpen...?

Vera trok zich het lot van Hester verschrikkelijk aan en nadat ze een loodzware zucht had geslaakt, verdiepte ze zich weer in het verhaal over het meisje dat zij met de beste wil van de wereld niet als haar moeder kon beschouwen.

Na nog een zucht las Vera wat tante Emma verder had opgeschreven.

Als een gewond diertje in nood, zo had Hester almaar gekermd dat zij het kind niet wilde. Ik houd niet van kinderen, ik vind ze eerder eng dan lief. Help me dan, mam...!

Daarop had Riet haar willen troosten: „Stil maar, als het er is, help ik je ervan te gaan houden. Dat moet, dat kan niet anders."

Door het uiten van zijn mening erover, was Sjoerd vierkant tegen Riet in gegaan. Hij had haar er met een veelzeggende blik op gewezen dat Riet niet moest vergeten wie de verwekker van het kind was. Net als Hester wilde hij dit kind niet. Het zou hem altijd herinneren aan een crimineel, aan een vent die zijn dochter had verkracht. Want gezien Hesters leeftijd kwam het dáár volgens Sjoerd op neer. En hoe Riet ook haar best deed hem ervan te overtuigen dat het kindje nergens part of deel aan had en dat zij het met liefde zou willen grootbrengen, bleef Sjoerd volhardend zijn standpunt verdedigen. Hij werd erin gesterkt door Hester; zij stond pal achter de mening van haar vader. Toen Sjoerd vastberaden zei dat Hester het kind meteen na de geboorte moest afstaan, dat dat de enige en juiste oplossing was, had zij met een paar betraande ogen gefluisterd: „Dank je wel, pap, voor je begrip, voor je daadwerkelijke hulp..."

Hoe kan dit nou, vroeg Vera zich andermaal verbaasd af; ze hebben mij immers niet afgestaan. Wist mam in die tijd haar zin door te drijven en leerde pap later vanzelf van mij te houden? Ietwat verdwaasd nu haalde ze tegelijk haar schouders op en schudde ze het hoofd. Gedreven door nieuwsgierigheid las ze snel verder.

Hoewel Sjoerd tegen de wil van Riet in móést gaan, vatte hij het immens grote probleem zeker niet luchthartig op en durfde hij de beslissing niet op eigen houtje te nemen. Hij vroeg een onderhoud aan met hun huisarts en daarna riep hij het advies in van hun predikant. Het was dominee Katsburg, die Sjoerd na eindeloos lange gesprekken, na zorgvuldig wikken en wegen, in alle opzichten gelijk gaf. Hester was nog maar een kind, Victor echter een volwassen vent die wist wat hij deed. Hij had het jonge meisje verkracht, zo en niet anders zag ook dominee Katsburg het. Verder had dominee gezegd: „Dat Hester het kind nu al niet wil, bewijst dat zij in haar achterhoofd aanvoelt wat Victor haar heeft aangedaan. Ze zal er traumatische schrikbeelden aan overhouden als zij het kind zou moeten houden terwijl zij zich daar zo fel tegen verzet. De predikant beloofde Sjoerd dat hij zijn best voor hem zou doen. En door zijn inzet kwam hij via via op het spoor van mensen die dolgraag een kindje wilden adopteren en al een jaar of vier op een wachtlijst stonden. Met de nodige 'kruiwagens' die de dominee nodig had om snel tot daden te kunnen komen, kwam de wettelijke adoptie nog vóór de geboorte tot stand. Voordat het zo ver was, moesten ze zich echter door moeilijke maanden heen worstelen. Want hoewel ze er niet openlijk voor uitkwamen, schaamden Sjoerd en Riet zich allebei voor hun dochter, die in de buurt de tongen behoorlijk in beroering had gebracht. Ze konden en wilden Hester niet opsluiten of voor de buitenwereld verbergen. Ze ging met Riet boodschappen doen of, om in beweging te blijven, een eind wandelen. Zo kon haar zwangerschap niet geheim worden gehouden en dat het kind na de geboorte geadopteerd zou worden, lekte ook uit. Dit tot verdriet van Riet en tot schaamte van Sjoerd. Als schoolmeester had hij regelmatig contact met de ouders van zijn leerlingen en ook buiten de school om trof hij mensen van wie hij vermoedde dat ze hem de schuld geven voor wat Hester had gedaan. Soms zag hij scheve ogen op zich gericht, een andere keer verbeeldde hij het zich. Sjoerd voelde zich er echter niet prettig onder. In die tijd gaf hij te kennen dat hij Rotterdam zou willen verlaten om ergens ver weg helemaal opnieuw te beginnen. Tijdens haar zwangerschap ging Hester niet naar school. Dat wilde echter niet zeggen dat ze niet studeerde. Sjoerd had ervoor gezorgd dat zij huiswerk kreeg voor de dagelijkse lessen, alsmede de proefwerken die op school gegeven werden. Toen boog Hester zich er serieus over; ze wist dat ze elke avond door Sjoerd persoonlijk werd overhoord. Ondanks dat er te veel was gebeurd, toonde Hester op deze manier toch een beetje spijt en beloofde ze beter te zullen oppassen. Uiteraard zorgde Sjoerd er nu ook voor dat ze Victor niet meer te zien of te spreken kreeg. Sjoerd en Riet konden alleen maar hopen dat Hester niet achter hun rug met hem belde. En dan eindelijk kwam er aan deze moeilijke periode in Hesters jonge leven een eind en beviel ze in het ziekenhuis van een kerngezond kind dat even in haar armen werd gelegd. Toen ze het met een haastig afwerend gebaar teruggaf voordat ze zelfs maar een blik op het kleine gezichtje had geworpen, slaakte ze een bevrijde zucht. Sjoerd was niet in het ziekenhuis aanwezig geweest en Riet had het kindje bewust niet willen zien. Ze wist dat ze in het verdriet het te moeten missen in huilen zou uitbarsten. Ze mocht geen oma voor het kind zijn; ze moest zich tevredenstellen met het enige gegeven dat het een gezond jongetje was.

Hier schoten Vera's wenkbrauwen omhoog en ze murmelde: „Hallo, tante Emma, blijf bij de les! U vergist zich schromelijk, ik ben heus als meisje geboren, hoor." Of... vroeg ze zich af, is er destijds in dat Rotterdamse ziekenhuis een fout gemaakt? Je hoorde of las het een enkele keer vaker dat er baby's verwisseld werden...? Lieve deugd, maar wie ben ik dan... Vera kreeg het te kwaad, ze legde het schrift weg en haastte zich naar de keuken, waar ze zich verdwaasd op een stoel liet zakken.

6

Ze wist later niet te zeggen hoe lang ze daar als in trance voor zich uit had zitten staren, totdat ze zich afvroeg of ze tante Emma niet maar beter kon bellen. Zij zou immers antwoord kunnen geven op haar vraag of de geboorte van een jongetje wellicht in een ander verhaal, in een ander schrift thuishoorde? Nadat ze hierover had nagedacht, besloot ze toch eerst verder te lezen. Misschien herstelde tante Emma haar vergissing.

Ze repte zich weer naar de kamer en opnieuw verdiepte Vera zich in het verhaal, opgeschreven door haar tante.

Na de bevalling pakte Hester de draad van haar leven weer op. Ze ging weer naar school, maar ze wilde niets meer van haar vroegere vriendinnen weten. Behalve één ervan, Chantal Wouters; met haar trok ze veel op. Sjoerd klampte zich in die tijd weer hoopvol vast aan het ideaalbeeld dat hij zich vanaf Hesters geboorte over haar had gevormd. Riet daarentegen maakte zich nog meer zorgen om haar dochter dan voorheen. Jawel, Hester gedroeg zich niet meer zo recalcitrant, ze gaf haar moeder geen grote mond meer en ze snauwde haar niet af. Desondanks kon Riet de gang van zaken niet zo rooskleurig zien als Sjoerd. Riet zag namelijk wat Sjoerd ontging: dat Hester het nog steeds zeer moeilijk had. Riet vond het beangstigend, zo stil en in zichzelf gekeerd als Hester was. En omdat Riet de oorzaak ervan meende te kunnen begrijpen, had zij het meisje onder vier ogen gepolst. Ze had gevraagd of Hester het kindje miste, of ze spijt had dat ze het had afgestaan. Hester had driftig van nee geschud. „Nee, natuurlijk niet! Ik ben blij dat ik ervan af ben. Ik heb toch tegen je gezegd dat ik geen kind wil, dat ik er niet van houden kan, er niet mee om zou weten te gaan! Je moet er niet op terugkomen, mam.

Je werkt op mijn zenuwen met je gezeur."

Riet kon toen niet anders dan machteloos haar schouders ophalen. Maar dat haar zorg om Hester niet ongegrond was, bleek een tijd later. Op een vaste avond van de week gingen Riet en Sjoerd samen naar het gemengd zangkoor waar ze al jaren lid van waren. Toen ze op een avond na afloop thuiskwamen, was Hester in geen velden of wegen te bekennen. Ze vonden wel een door haar achtergelaten briefje: Ik ben weggegaan en kom niet terug. Maak je geen zorgen om mij. Ik weet wat ik doe. Ik kan het bekrompen, burgerlijk leven dat jullie mij almaar opdringen, niet aan. Ik wil mijn eigen weg gaan. Samen met Victor.

De schrik die mijn zus en zwager opnieuw te verwerken kregen, was enorm groot. Riet had verdrietig gefluisterd dat zij zich hadden vergist: Hester wist wel degelijk wat liefde was; ze had de hele tijd van die jongen gehouden. Sjoerd had in peilloze ellende gebriest dat hij het, wat Hester betrof, voor gezien hield. „Als ze dan met alle geweld in de goot wil belanden, gaat ze haar gang maar. Ik trek mijn handen van haar af." Vanzelfsprekend zou hij dat niet daadwerkelijk doen, maar op dat moment was hij wit van woede, van teleurstelling vooral, naar boven gegaan. Riet had Chantal gebeld en gevraagd of zij wist waar Hester zich kon ophouden. Ze schoot er niets mee op, want Chantal beweerde van niets te weten. „Weet je dan misschien het adres van Victor Bijboer? Hij woont ergens op een zolderkamertje." Toen had Chantal gezegd dat Victor daar allang niet meer woonde en dat hij momenteel geen vaste woon- of verblijfplaats had. Het korte gesprekje had Riet duidelijk gemaakt dat Chantal wel degelijk meer wist dan zij en Sjoerd. Het meisje nam haar vriendin duidelijk in bescherming; van haar zouden zij niet wijzer worden. Vervolgens was Riet naar Hesters kamer gegaan en daar was ze tot de ontdekking gekomen dat Hester haar kleren en andere persoonlijke spullen had meegenomen. Ze had haar vlucht van huis en ouders dus kennelijk voorbereid en er een veilige avond voor uitgekozen. Ze had uren de tijd gehad om haar spullen in te pakken, omdat ze wist dat haar ouders niet vóór elf uur thuis zouden komen. Riet en Sjoerd gingen een onvoorstelbaar moeilijke tijd tegemoet. Uit die ene uitlating van Chantal hadden ze begrepen dat Victor dakloos was. Ze vroegen zich angstig af waar hij en Hester rondzwierven. Als dakloze zwervers...?

Het nieuws over de spoorloos verdwenen dochter van de schoolmeester deed in de buurt als een lopend vuurtje de ronde. Sjoerd kreeg het op school zwaar te verduren. Er waren mensen die openlijk lieten blijken dat ze met hem te doen hadden, maar hij ving ook laatdunkende blikken op, die hij niet verdragen kon en hem een besluit deden nemen. Hij wist toen heel zeker dat hij Rotterdam de rug toe zou keren, maar die wens van hem kon pas in vervulling gaan als het hem lukte elders een vaste aanstelling te bemachtigen. Op zoek naar die ene advertentie met de voor hem zo dringend gewenste oproep ploos hij tal van kranten uit. Met de moed der wanhoop had hij zelfs een abonnement genomen op het Dagblad van het Noorden. Riet zat evenmin stil. Zij had in een landelijke krant een oproep aan Hester geplaatst waarin ze het meisje smeekte iets van zich te laten horen. Ik mis je, ik houd van je en wil je alleen maar helpen. Ze had er geen enkele reactie op mogen ontvangen. Op een avond nam Sjoerd het besluit de ouders van Chantal op te zoeken. Behalve haar ouders trof hij Chantal thuis en aan haar stelde hij de prangende vragen die hem kwelden. Aanvankelijk deed Chantal het voorkomen dat ze van niets wist, totdat haar vader zich ermee bemoeide. Hij sommeerde Chantal streng dat ze het niet mocht verzwijgen als ze iets van Hester wist. Toen zei het meisje iets wat Sjoerd liever niet had willen horen. „Hester en Victor zijn allebei werkzaam in de prostitutie..." Met hoogrode kleur had Chantal verder verteld dat Hester en Victor, om niet of moeilijk opgespoord te kunnen worden, met de regelmaat van de klok verkasten. En zo kreeg Chantal telefoontjes van Hester uit Amsterdam, Den Haag of een andere stad in het land. Na die afschuwelijke mededelingen had Chantal met de hand op haar hart gezworen dat ze de laatste tijd niets meer van Hester had gehoord. „Het ligt niet aan haar dat ze me niet meer belt, maar aan mij," had Chantal bedrukt gezegd. „Ik vind het zo verschrikkelijk laag-bij-de-gronds wat Hester doet, dat ik geen contact meer met haar wil hebben. Ik heb onomwonden tegen haar gezegd dat ik geen vriendin wil zijn van een… hoer." Op de vraag die Sjoerd haar hevig aangedaan had gesteld, had het meisje opnieuw gezworen dat zij het aan niemand had verteld. Zelfs haar ouders hoorden het op dat ogenblik voor het eerst. En zowel zij als Chantal beloofden hem dat ze het als een zwaarwegend geheim binnen de muren van hun huis zouden bewaren. Als een gebroken man was Sjoerd thuisgekomen. Zijn ideaalbeeld voor Hester was als een zeepbel uiteengespat. En nadat hij Riet op de hoogte had gebracht van Hesters handel en wandel, had hij gekermd: „Chantal had gelijk. Mijn dochter is niks meer of minder dan een… hoer. Een slet met wie ik niks meer te maken wil hebben!"

Riet had hem eraan helpen herinneren dat Victor al als jonge jongen kleine meisjes had betast. „Dat seksuele wangedrag heeft er bij hem altijd in gezeten. Ik durf nu bijna wel zeker te zeggen dat het een vooropgezet plan van hem is geweest ons kind vroeg of laat mee te sleuren in dat verrotte wereldje waarin hij zich kennelijk happy voelt."

Sjoerd kon zich helemaal vinden in de suggestie van zijn vrouw en omdat Hester minderjarig was, hadden ze in opperste nood de politie ingeschakeld. Ze kwamen niet aan de weet wat die mensen achter de schermen voor hen deden, maar daadwerkelijk geholpen werden ze niet. Er gingen tergende jaren voorbij, totdat ze te horen kregen dat de zoektocht naar hun dochter moest worden gestaakt. Waarschijnlijk doordat ze van stad naar stad zwierven, bleven de twee zelfs voor de politie onvindbaar.

Al met al waren Sjoerd en Riet toen na lange, martelende jaren terug bij af. Ik had met hen te doen, maar niet minder met Hester. Er gingen jaren voorbij, maar ik bleef haar missen. Mijn verlangen haar te helpen werd steeds groter en op een keer borrelde er een plan in me op waaraan ik geen weerstand kon bieden. En zo gebeurde het dat ik een tijd daarna voor de televisie een oproep mocht doen aan Hester. Het betrof een uitzending waarin mensen een vermiste dierbare mogen toespreken. Ik had Sjoerd en Riet er van tevoren niet van op de hoogte gesteld en toen de camera's op me gericht stonden, dacht ik zelfs geen seconde aan hen. Toen mijn oproep het land in werd gestuurd, was mijn hart louter en alleen bij Hester. Ik weet nog dat ik door een dichte waas van tranen heen tegen haar heb gezegd: „Ik neem aan dat het slecht met je gaat. Dat kan niet anders, als je zoals jij in de prostitutie bent terechtgekomen. Daar veroordeel ik je niet om; ik houd nog onverminderd veel van je. Laat iets van je horen, lieverd en als je niet terug durft naar je ouders, kom dan bij mij. Ik wil je helpen. Ik mis je…"

In de emoties van het moment drong het niet tot me door dat ik te veel had gezegd. Daar kwam ik vol schuld en schaamte achter toen Riet mij de volgende dag belde. Ze was zo verschrikkelijk boos dat ik de stem van mijn eigen zus niet herkende. Riet had helaas wel gelijk toen ze tegen me te keer ging: „Besef jij eigenlijk wel, Emma, wat je ons hebt aangedaan! Wij deden alle mogelijke moeite om het voor de buitenwereld verborgen te houden, maar door jouw loslippigheid weet nu de hele buurt hoe diep onze dochter gezonken is. We schamen ons ervoor en durven nog amper de deur uit. Sjoerd is er bar slecht aan toe; hij heeft zich ziek moeten melden omdat hij zich op school niet durft te vertonen. Waar in vredesnaam, heb jij het lef vandaan gehaald om in het openbaar de kroon van ons hoofd te stoten…!"

„Het spijt me, dit was allerminst mijn bedoeling. O, Riet, zeg alsjeblieft hoe ik het weer goed kan maken."

„Er valt niks meer goed te maken, Emma! Deze keer ben ik het met Sjoerd eens. Ik denk er net zo over als hij en wil je nooit meer zien. Jij hebt ons verraden en dat kunnen wij jou niet vergeven."

Ik huil niet snel, maar na die niet mis te verstane boodschap heb ik talloze papieren zakdoekjes natgehuild. In de dagen en weken die volgden, heb ik onophoudelijk pogingen ondernomen om Riet te bereiken om haar te overtuigen van mijn oprechte spijt. Maar zodra Riet door de telefoon mijn stem hoorde, verbrak zij zonder pardon de verbinding, zonder ook maar een woord te zeggen. In euvele moed heb ik daarna een keer bij haar op de stoep gestaan. Toen Riet door het raampje in de deur zag dat ik het was die aangebeld had, riep ze vanachter de gesloten deur dat ze me niet te woord wilde staan. Ze riep dat ik haar met rust moest laten, dat ze wilde dat ik uit haar leven verdween. Ik besefte dat ik een onherstelbare fout had gemaakt en die keer, door het raampje van de deur, heb ik voor het laatst het gezicht van mijn zus gezien. Riet wilde het zo; ik heb er nooit vrede mee kunnen hebben.

En toen, kort na de uitzending van het televisieprogramma, stond Hester op een keer plotseling voor mijn deur. Ik wist niet hoe ik het had en tegelijkertijd durfde ik mijn ogen niet te geloven, want ze was hoogzwanger. Ik heb haar binnengelaten en net als vroeger omhelsde zij me spontaan. Na de begroeting zei ze aangeslagen kleintjes: „Ik heb u op de televisie gezien. Het was voor mij heel emotioneel na al die vervlogen jaren opeens zo'n lief, vertrouwd gezicht te zien. Het greep me zo aan dat ik uw oproep niet kon weerstaan. Ik moest naar u toe om u weer even in het echt te zien..."

Het kostte tijd voordat we onze emoties onder controle hadden en we een gesprek konden aanknopen. Hester begon met te zeggen dat het haar niet was ontgaan dat ik met een blik vol ontsteltenis naar haar dikke buik had gekeken. Ze bloosde diep toen ze zei: „Ja, het is behoorlijk stom, ik vergeef het mezelf dan ook nooit, maar u ziet het goed. Ik ben opnieuw zwanger. Ik ben inmiddels volwassen, geen onmondig kind meer als toen, bij de eerste keer. Maar net als toen, kan ik er ook nu niet blij mee zijn..."

„Gezien de mannen met wie jij contact hebt, neem ik aan dat je niet weet wie de vader is? Ja, sorry, maar in de wereld waar jij je in begeeft, gebeuren dit soort dingen volgens mij."

Dat ik in mijn onwetenheid een stomme vraag stelde, bleek, want Hester moest erom lachen. Het kleine meisje van eens zei toen wereldwijs: „Een prostituee, tante Emma, raakt niet zwanger van haar klanten. Dat is in onze wereld een wet waar niet aan te tornen valt. Net als de eerste is ook dit kind van Victor."

In mijn hoofd tolde het. Niettemin kon ik niet nalaten te zeggen: „Hoe is het in vredesnaam mogelijk dat jij zo ver van het rechte pad bent geraakt. Dat plaagt mij dagelijks, mag je weten."

Na een kort stilzwijgen lichte Hester een tipje van de sluier op door te vertellen dat Victor, toen zij van huis wegliep, haar geen onderdak had kunnen bieden. In het begin zwierven ze enkele dagen door de stad, 's nachts zochten ze een beschutte plek op. „Ik vond het ronduit vreselijk, kon het niet aan en moest almaar huilen." Victor had medelijden met haar, vertelde ze verder en overtuigde haar ervan dat ze niet op deze manier verder hoefden. Hij wist een adres waar ze terecht konden. Hij schetste haar het beeld voor van een luxe kamer, van prima eten en drinken en bovendien zouden ze grof geld kunnen verdienen. Maar daar moesten ze vanzelfsprekend wel iets voor terug doen! Hij had de woorden 'pooier' en 'hoer' gebruikt, die, zoals Hester zei, als gruwelijke vloekwoorden in haar oren hadden geklonken. Ze lachte me bemoedigend toe toen ze zei dat ze er inmiddels allang aan gewend was. Het waren in haar ogen gewoon beroepen, ook al kijken mensen daar anders tegen aan. Zoals zij Victor nooit iets had kunnen weigeren, was zij hem ook in die tijd gewillig gevolgd. „Verder wil ik er niets meer over kwijt, u zou het toch niet kunnen begrijpen. Omdat ik in het allereerste begin nog zo jong was, kregen we alle mogelijke medewerking om uit handen van de politie te blijven. We werden zorgvuldig beschermd terwijl we, bijna dagelijks, naar een ander huis in een andere stad werden gebracht. Het is een leven dat ik me vroeger zeker niet gewenst zou hebben, maar waar ik me nu berustend in schik. Ik kan bij Victor zijn en dat is me alles waard. Dit wilde ik persoonlijk aan u zeggen zodat u zich geen zorgen meer over mij hoeft te maken. Uw kleine Hestertje van vroeger is niet doodongelukkig geworden."

Ze zond me een gemaakt, bevend lachje, waar ik natuurlijk dwars doorheen kon prikken. Ik heb haar recht aangekeken en wilde van haar weten of zij gelukkig kon zijn zonder haar ouders. Daar zei ze op dat ze haar moeder wel vaak miste, haar vader minder. Ik durfde mijn oren niet te geloven toen ik haar hoorde zeggen dat ze haar moeder binnen afzienbare tijd ging opzoeken. Ze hadden nog geen datum, maar al wel een dag gepland. Het zou gebeuren op een maandagavond, want dan, herinnerde Hester zich, zou Sjoerd naar zijn geliefde bridgeclub gaan en zou zij Riet alleen aantreffen. „Ik moet het erop gokken dat pap op maandagavond nog steeds gaat bridgen en dat ik alleen zal zijn met mam. En dan, tante Emma, zal ik het nu nog ongeboren kind aan haar geven!"

Ik schrok me wezenloos en stamelde onthutst dat ze niet wist wat ze zei. Hester lachte echter en beweerde dat zij juist heel goed wist waar ze mee bezig was. Zij was nog niet vergeten dat Riet haar eerste kindje graag had willen grootbrengen. „Mam heeft op een keer zelf tegen me gezegd dat zij het vreselijk vond dat het geadopteerd werd. Ze heeft het daar erg moeilijk mee gehad. Deze keer schaar ik me niet als toen achter pap, maar wil ik dat mam haar zin krijgt. Ik weet wel zeker dat mam het kind liefdevol van me zal overnemen als ik zeg dat ik anders ook dit kind zal afstaan."

Ze verstond mijn vragende blik strak op haar gericht, want ze zei: „Nee, tante Emma, ik kan het niet zelf houden. Net als vroeger houd ik nog steeds niet van kinderen. Ik voel de rillingen over mijn rug lopen als ik eraan denk dat ik het zelf zou moeten grootbrengen. Mam kent mij en ook die wellicht abnormale karaktertrek van mij. Ze zal me hoe dan ook tegemoetkomen. En nu moet ik er weer vandoor. Victor zit in de auto om de hoek van de straat op me te wachten. Ik ken hem en ik weet dat ik zijn geduld niet te zwaar op de proef mag stellen.."

Bij het afscheid vroeg ze zacht: „Vertelt u aan mam dat ik bij u ben geweest, tante Emma...?" Ja, toen moest ik haar vertellen over de breuk tussen mij en haar ouders. Met de muis van haar hand wiste ze een traan weg die over mijn wang biggelde en troostend beloofde ze me dat zij me op gezette tijden zou bezoeken. „Op die manier kan ik u meteen op de hoogte houden van de gang van zaken en hoort u van mij hoe mam op het kind zal reageren."

Ach, Hester. Hoewel ik het leven dat zij leidde, ronduit verafschuwde, deed het me ontzettend goed dat ik haar weer even gezien en gesproken had. Ik kreeg weer hoop op dat ik haar er op den duur heel misschien toe kon bewegen uit die wereld te stappen waarin zij beslist niet thuishoorde. Tot dusverre had ik steeds voor haar gebeden, misschien zou ik er zelf een steentje aan kunnen bijdragen, hoopte ik.

Er gingen weken voorbij zonder dat ik iets van Hester hoorde, totdat ze op een ochtend weer bij me voor de deur stond. Haar slanke figuurtje attendeerde mij erop dat ze in de afgelopen tijd iets anders aan haar hoofd had gehad, waardoor ze mij niet kon bezoeken. Ze was bevallen en ze vertelde me dat het deze keer een meisje was, dat ze Vera had genoemd. Volgens plan had ze op een maandagavond haar ouderlijk huis opgezocht en het speet haar dat Sjoerd gewoon thuis was geweest. Over het weerzien met haar ouders wilde ze niet veel kwijt. Ze zei dat het moeilijk was geweest, dat pap raar had gedaan en dat mam in het begin aldoor had moeten huilen. Hester had gezegd dat ze opnieuw een kind had gekregen dat ze net als de eerste, zou afstaan. „Voordat ik daar stappen toe onderneem, wilde ik het eerst aan jou laten zien, mam. Jij wilde vroeger het jongetje zo graag, misschien wil jij nu voor dit kleine meisje zorgen? Omdat ik het niet kan...?"

Sjoerd was nijdig uit zijn slof geschoten. „Ik heb het altijd al gedacht, nu weet ik zeker dat jij niet goed bij je hoofd bent! Dat jij ons onder ogen durft te komen na alles wat je ons hebt aangedaan, wijst daar duidelijk op! En brutaal als je bent, wil je ons bovendien met jouw kind opzadelen, maar dáár pas ik voor, hoor Hester!"

Riets stem was wonderlijk zacht geweest, vertelde Hester en toch had die geen tegenspraak geduld. „Ik kan het niet over mijn hart verkrijgen dat ook dit kleine kindje naar wildvreemde mensen zal worden gebracht, Sjoerd. Ze lijkt sprekend op Hester toen zij een baby was. Ik heb het gevoel dat ik aan dit weerloze mensje goed moet maken waar ik jegens mijn eigen dochter heb gefaald. Want dat praat niemand mij uit het hoofd. En net zo buig ik deze keer mijn hoofd niet voor jou. Ik kan dit kleine popke niet meer uit handen geven, daarvoor heb ik haar al te vast in mijn hart gesloten. Door middel van dit kindje krijgen wij een herkansing, Sjoerd... Wij geven het een veilige bescherming en tegelijkertijd kunnen wij nu daadwerkelijk iets goedmaken aan Hester. Dat is voor mij een lieve wens; help me die te verwezenlijken, Sjoerd..."

Het duurde lang voordat hij gesmoord zei: „Het is goed, jij hebt gelijk. Dat we tot op de dag van vandaag niet weten wat er van het jongetje is geworden, heeft mij de hele tijd ook niet onberoerd gelaten. Ik zie nu duidelijk in dat zich dat niet mag herhalen. Daar is dit kleine meisje te mooi en te lief voor. Ze heeft ook mijn hart al gestolen. Hoe dat zo plotseling kan bestaan, is voor mij een raadsel..." Hij had een zakdoek nodig gehad en nadat hij zijn emoties weer de baas was, had hij zich met een donker gezicht tot Hester gekeerd. „In tegenstelling tot je moeder heb ik jegens jou geen schuldgevoelens. Ik durf naar eer en geweten te zeggen dat wij altijd het allerbeste met jou voor hadden en dat we daarnaar handelden. Desondanks heb jij ons het leven doorlopend zuur gemaakt. Je hebt onze goede naam besmeurd!"

„Het spijt me..." had Hester gefluisterd. Sjoerd had zijn stem verheven. „Wij zouden weer samen verder kunnen, maar daar moet ik voorwaarden aan verbinden. Jij zult het smerige leven dat je leidt, achter je moeten laten. Je zult alsnog moeten breken met die kerel die jou al dit ellendige heeft aangedaan. Je zult God weer moeten zoeken en de kerk niet meer voorbijlopen. Dit zijn de eisen die ik je stel, Hester...!"

„Je vraagt te veel, pap; ik kan er helaas niet aan voldoen. Ik houd van Victor en het leven dat ik leid, is me gaandeweg zo eigen geworden dat ik het niet meer missen wil. En God zoeken... dat durf ik niet meer." Ze had slechts een adempauze genomen voordat ze verderging. „Als jullie voor Vera willen zorgen, zal ik je dankbaar zijn. Ik begrijp dat jullie liever zien dat ik voorgoed uit jullie leven verdwijn."

Sjoerd had er een bevestigende hoofdknik op gegeven; Riet had bewogen gezegd: „Uit schaamte voor wat jij ons allemaal hebt aangedaan, moeten wij Rotterdam noodgedwongen verlaten. Pap houdt het op school niet langer vol, ik hier in de buurt niet. Het geluk was met ons, want pap heeft elders, ver van hier, een nieuwe aanstelling gekregen." Op Hesters vraag of zij mocht weten waarheen ze vertrokken, noemde Riet de naam van een klein dorpje in het noorden van Groningen en zei ze er in één adem achteraan dat ze in de stad Groningen gingen wonen. „Pap zal dagelijks moeten reizen, maar met de auto is het een kleine afstand. Voor ons is het een uitkomst dat we daar waar niemand ons kent, opnieuw kunnen beginnen. Het is nog niet zo ver, we hebben nog eventjes de tijd. En die kunnen we nu benutten om de nodige formaliteiten over de voogdij van kleine Vera te regelen. Als we ons eenmaal in Groningen hebben gevestigd, hoeft niemand daar te weten hoe bij ons de vork aan de steel zit. Hetzelfde geldt voor het dorp waar pap dan voor de klas zal staan. Men zal niet beter weten dan dat ik op latere leeftijd pas mijn eerste kind kreeg. En dit leugentje is niet alleen voor ons uiterst noodzakelijk, maar zeker voor Vera. Want alleen op deze manier zal geen mens erachter komen wie en wat de werkelijke moeder was van 'ons' kind. Het spijt me, Hester, maar zo diep geworteld ligt onze schaamte voor jou. Die mag nooit op Vera overslaan. We zullen jouw duistere leven voor haar moeten verzwijgen."

Riet had het te kwaad gekregen. Sjoerd had begrepen wat zijn vrouw bedoelde. Hij had Hester indringend aangekeken. „Je moeder vertelt je dit allemaal in de hoop dat het tot jou doordringt dat jij je kind andermaal ter 'adoptie' afstaat. Je zult ook deze keer de formulieren moeten tekenen, die er echter anders zullen uitzien dan toen. Maar voor jou moeten ze eenzelfde betekenis hebben, namelijk dat jij ons en het kind geen moeilijkheden veroorzaakt. En dat kan slechts op één manier...!"

„Ja, je hoeft het niet uit te spreken, ik begrijp het zo wel. Zoals ik me nooit heb vertoond aan de mensen die mijn eerste kind onder hun hoede namen, zo zal ik opnieuw en nu voorgoed, uit jullie leven verdwijnen..."

Riet had verbijsterd haar hoofd geschud. „Is dit het je allemaal waard, Hester...? Vergooi jij niet veel te veel voor bitter weinig?"

„Ik heb Victor. Zijn liefde draagt mij overal overheen. Hij zal blij zijn dat het zo is gelopen, want net als ik voelt hij niets voor kinderen. Nu moet ik gaan. Bedankt, pap en mam… voor wat jullie vroeger voor me hebben gedaan, om vooral voor wat je nu voor me doet." Ze had Riet verlegen een vluchtige kus gegeven, Sjoerd slechts een aarzelende blik. Aan mij vertelde ze dat ze helemaal vergeten was afscheid te nemen van het kind. „Ik heb me haastig uit de voeten gemaakt zonder ernaar om te kijken. En daar had ik naderhand niet eens spijt van. Zegt dat niet meer dan genoeg, tante Emma?" Die vraag kon ik alleen maar bevestigend beantwoorden.

In verband met het tot stand brengen van de voogdij had ze haar ouders daarna nog eenmaal moeten ontmoeten. Tegen mij heeft ze naderhand gezegd dat ze hoopte dat het hun goed mocht gaan, daar in het hoge noorden. En dat ze, als zij ooit de behoefte kreeg om een kaart of brief aan hen te sturen, hun nieuwe adres in een telefoonboek zou kunnen vinden.

Ik beschouwde het hele gebeuren als ongeloofwaardig absurd, maar Hester leek onder geen enkel gemis te lijden. Zij had Victor, die alles voor haar goedmaakte. Dit kón een gezond denkend mens toch niet bevatten?

Het duurde geruime tijd voordat Hester mij opnieuw opzocht. Die keer heb ik haar vragen gesteld over Victor. Volkomen argeloos vertelde Hester mij toen dat Victor voor haar een schat was, maar dat ze het minder plezierig vond dat hij bijna nooit de waarheid sprak. „Hij liegt steeds de hele boel aan elkaar en die domkop gelooft heilig in zijn eigen leugens!" Verder was er niks op hem aan te merken, had ze gelachen. Nou ja, hij dronk de laatste tijd meer dan goed voor hem was, maar had niet iedereen zo zijn zwaktes? Ze hield het gesprek over Victor gaande door te zeggen: „Victor neemt het u kwalijk dat hij niet door u binnen wordt genodigd. Hij noemt het respectloos van u. Het zit hem zó dwars dat hij heeft gedreigd dat hij het nog even zal aanzien, maar als de situatie niet verandert, mag ik van hem niet meer naar u toe. Waarom houdt u de deur van uw huis voor hem gesloten, tante Emma?"

Daar kon ik alleen maar op zeggen hoe ik het zag: dat ik Victor fel veroordeelde om hetgeen hij haar aandeed. „Jij bent in je liefde voor hem doof en blind, je zet hem op een verheven voetstuk. Ongetwijfeld zal hij daar eens van aftuimelen en dan pas, lief kind, zul jij de ware Victor kennen. Ik moet de deur voor hem gesloten houden, louter en alleen omdat ik hem niet persoonlijk wil leren kennen. Tot nog toe heeft hij alleen maar kwaad bloed gezet. Voordat ik hem in de ogen kan kijken, zal hij eerst moeten bewijzen dat hij is zoals jij hem, dwars door alles heen, afschildert. Jij vergist je zo verschrikkelijk in die man. Waarom zie je dat toch almaar niet in?"

Je kan niet altijd zeggen wat je denkt of voelt. Dat drong tot mij door toen ik daarna geen taal of teken meer van Hester vernam. Ze kwam niet en belde niet en dat betekende, begreep ik, dat zij zich opnieuw volgzaam had geschikt naar de eisen van de man die haar volledig in zijn macht had.

Ik had spijt van mijn uitlatingen over Victor, maar kon die helaas niet meer ongedaan maken. Ik kon alleen maar bidden en hopen dat Hester op een keer toch weer naar mij toe zou komen. Dan zou blijken dat haar verlangen naar mij sterker was dan het verbod dat haar door die man was opgelegd.

Mijn hoop bleek ijdel en het duurde lange, lange jaren voordat ik op een dag mijn schrift weer tevoorschijn moest halen om het slot van Hesters trieste bestaan op te schrijven.

Ik zal de dag nooit vergeten dat er opeens twee agenten bij me voor de deur stonden. Ze vroegen naar mijn naam en toen die scheen te kloppen met hun gegevens, kreeg ik te horen dat Hester een zeer ernstig auto-ongeluk had gehad.

Ik heb de mannen binnen gevraagd en in de kamer werd mij verteld dat Victor bij het ongeluk om het leven was gekomen en dat Hester zwaargewond naar een ziekenhuis in Rotterdam was gebracht. Onderzoek had uitgewezen dat Victor stomdronken achter het stuur had gezeten. In het wrak van de auto had men de schoudertas van Hester gevonden, met daarin mijn adres. Daardoor, werd er gezegd, konden we u bereiken. Ik weet niet eens meer of ik in mijn verwarring van dat moment de mannen heb bedankt voor het vreselijke bericht dat zij aan mij moesten overbrengen. Ik heb gelukkig wel naar de naam van het ziekenhuis gevraagd waar ik toen in ijltempo naar toe ben gegaan. Maar nee, ik mocht niet bij Hester; de artsen waren op dat moment met haar bezig. Toen pas drong er zich een vraag aan me op die ik hevig aangedaan stelde: Weten haar ouders wat er is gebeurd, zijn zij al hier geweest...? Andermaal die dag kreeg ik een enorme schok te verwerken, want er werd gezegd dat de ouders allebei al waren overleden. Ik snap niet hoe ik met de auto weer heelhuids thuis ben gekomen, want ik was volledig van de kaart. Ik maakte me hevige zorgen om Hester en ik vroeg me almaar af waar Sjoerd en Riet aan waren gestorven. Waren ze samen door een ongeluk uit het leven weggerukt, of na elkaar overleden? Waren ze zwaar ziek geweest, hadden ze een lijdensweg moeten gaan? Tot op de dag van vandaag heb ik op die kwellende vragen geen antwoord gekregen. Mijn gedachten waren ook veelvuldig bij Vera, maar ik peinsde er niet over haar te benaderen. Uit de verhalen van Hester wist ik dat Sjoerd en Riet haar bestaan voor Vera hadden verzwegen. Het was hun uitdrukkelijke wens dat het meisje nooit zou weten wie en wat haar biologische moeder was. Dat kon ik alleen maar respecteren door me nu zelf een zwijgplicht op te leggen. De volgende dag ben ik opnieuw naar het ziekenhuis gereden en op mijn vraag of ik nu even bij Hester mocht, kreeg ik een bevestigend antwoord. Maar tevens de waarschuwing dat ik niet al te erg moest schrikken. Hester was na de operatie heel even bij kennis geweest; daarna was ze in coma geraakt. Kort hierna stond ik voor haar bed en heb ik minuten lang naar haar stille gezicht gekeken. Ik had haar jaren niet gezien en hoewel ze inmiddels een vrouw van veertig was, waren haar gelaatstrekken me nog even dierbaar als toen. Ik heb haar gestreeld, zacht tegen haar gepraat. Die keer wist ik me te beheersen en heb ik niet uitgesproken wat ik voelde. Ik heb alleen gedacht dat Victor Bijboer tot aan zijn dood niet heeft gedeugd. Als je stomdronken achter het stuur van je auto stapt, weet je dat je jezelf, maar ook anderen een ongeluk kunt bezorgen. Als je daar met je zatte kop laconiek je schouders over ophaalt, is dat jouw zaak. Maar sleur haar dan niet mee, de vrouw die zich haar hele leven wegcijferde voor jou. Zelfs nu hij dood is, heb ik geen goed woord voor hem over. Het is jammer dat Hester hem heeft moeten leren kennen.

Arme Hester. Je leven was beklagenswaardig, maar telkens als ik aan je bed zit, doe je me denken aan het kleine, onschuldige meisje van vroeger. Ik hoop almaar dat je me ziet als je me aankijkt met die mooie, groene ogen van je. Je moet iets voelen van wat er om je heen gebeurt, want laatst, toen ik net als altijd, tegen je praatte, verscheen er een glimlach om je mond. Die riep tranen bij me op en deden me fluisteren: Word wakker, Hester... Word alsjeblieft wakker, ik wil nog zo dolgraag iets voor je betekenen. Tot nog toe heeft Hester mijn vurige wens niet vervuld. Ik stop met schrijven en berg mijn schrift weer op. Zal ik het ooit nog eens vreugdevol tevoorschijn mogen halen om aan het verhaal over onze levens toe te kunnen voegen dat Hester gezond en wel uit haar coma is ontwaakt?

7

De emoties van Emma waren vanuit het schrift overgeslagen op Vera. Zij zat met betraande ogen met het schrift nog in haar handen toen ze bewogen fluisterde: „Hester… Door eigen toedoen heb jij een onvoorstelbaar rottig leven gehad…" Vera zuchtte en gaf zich over aan gedachten en aan de vele vragen die door haar hoofd tolden. Het was me liever geweest dat ik had mogen lezen dat jij mijn zusje was. De harde waarheid heeft me echter duidelijk gemaakt dat jij en niemand anders, mijn moeder bent. Jij wilde mij niet, maar dat is niet de voornaamste reden waarom ik jou niet als mijn moeder kan beschouwen. De mensen die mij met goede zorgen en ontzettend veel liefde hebben grootgebracht, zullen voor mijn gevoel altijd mijn ouders blijven. Pap en mam… bedankt voor alles. Ik vind het ronduit vreselijk dat jullie hebben moeten lijden onder het gedrag van je enige dochter. Zij – Vera – kende mam door en door; ze kon het zich zó goed voorstellen dat dat lieve mens het vroeger niet over haar hart kon verkrijgen afstand te moeten doen van het eerste kind van Hester. Een klein jongetje dat mam maar wat graag zelf onder haar hoede had willen nemen. Lieve mam… Hier stokten Vera's gedachten en gaf ze zichzelf een reprimande: Ik mag niet in het verhaal blijven hangen dat ik gelezen heb als een meeslepend boek, ik moet de werkelijkheid onder ogen zien! Die vertelt mij dat dat kleine jongetje van toentertijd mijn broer is! Hester is niet mijn zus, maar ik heb wél een broer. Waar is hij, wat is er van hem geworden? Weet hij dat ik besta? Ik wil hem zien, aanraken, met hem praten… Toen ze deze hevige emoties enigszins de baas was, nam ze een besluit en stond ze op om haar mobieltje te zoeken. Kort hierna toetste ze welbewust het nummer in van de vrouw die haar wijzer zou kunnen maken, hoopte ze.
„Met Emma Oosterlo."

„Ja, tante Emma, met mij, Vera. Ik heb het schrift gelezen en...” Verder kwam Vera niet, want Emma onderbrak haar. „Ik zat al op je telefoontje te wachten. Ik begrijp dat jij overstuur bent door alles wat je onder ogen is gekomen. Ik moet je zeggen, lief kind, dat ik me niet minder beroerd voel. Ik heb je het schrift in een opwelling meegegeven en daar heb ik achteraf verschrikkelijk veel spijt van. Ik had het niet mogen doen. Ik had het voor je moeten verzwijgen. In plaats daarvan heb ik de uitdrukkelijke wens van Riet en Sjoerd genegeerd. Het is een rotgevoel dat mij sinds jouw vertrek achtervolgt.”
„U hoeft zich niet schuldig voelen, tante Emma. Ik vind juist dat ik het al veel en veel eerder had moeten weten. Ik zit nu met tal van vragen. Eén ervan, voor mij de allerbelangrijkste, is wat ervan het eerstgeboren kind van Hester is terechtgekomen. Hij is mijn broer, maar aan dat simpele gegeven heb ik niet genoeg. Ik wil weten wie en waar hij is. Hij heeft een naam, een gezicht dat ik wil leren kennen. Als u meer over hem weet dan er in het schrift staat, vertel het dan aan mij, alstublieft...”

Het bleef een tijdje stil aan de andere kant van de lijn, maar toen klonk Emma's stem weer in Vera's oor. „Ik moest er even over nadenken, maar lijkt het jou niet ook verstandig, Vera, dat ik naar je toe kom? Ik heb al uitgerekend dat ik, als ik nu meteen van huis ga, aan het eind van de middag bij je kan zijn. Behalve dat we moeten praten, zullen we allebei gebaat zijn bij elkaars steun en troost. Wat denk je...?”

Vanwege het verdachte bibbertje dat in die laatste woorden had gelegen, drong het tot Vera door dat tante Emma, gebukt onder schuldgevoelens, een arm om haar schouders nodig had. Ze haastte zich te zeggen: „Kom maar gauw, tante Emma. U bent meer dan welkom. Ik ga het logeerbed alvast voor u opmaken. Wees voorzichtig onderweg; u bent niet meer de jongste. Ik heb u mijn adres gegeven, maar u bent niet bekend in mijn stad. Het zal zoeken en vragen worden, ziet u daar niet tegenop?"

Nu lachte Emma. „Ik mag in jouw ogen dan oud zijn, maar ik ga nog wel met mijn tijd mee, hoor! Ik heb me nog niet zo lang geleden een nieuwe auto aangeschaft, mét een navigatiesysteem! En dankzij dat vernuft zal ik zonder moeite tot pal voor jouw deur worden gebracht. Over een paar uur zien we elkaar en praten we verder. Dag, meisje, tot dan!"

Kort hierna startte Emma haar auto en was Vera druk doende in de logeerkamer. Toen het bed gastvrij op haar tante lag te wachten, bedacht ze dat het wel leuk zou zijn om een fleurig bosje bloemen neer te zetten op het kastje tegenover het bed. Maar daar zou ze de deur voor uit moeten en daar had ze nu net geen puf voor. Om dezelfde reden bedacht ze dat ze een pizza uit de vriezer zou halen. Mocht tante Emma nog niet hebben gegeten, dan kon ze die zo even in de oven schuiven. Gemak dient de mens, zeker een mens met een boordevol hoofd.

Terwijl Vera in de kamer de salontafel met een vochtig doekje afnam en de rommel opruimde die er niet hoorde, vroeg ze zich af of tante Emma haar vraag over haar broer bewust had omzeild. Omdat zij haar persoonlijk en onder vier ogen over hem wilde vertellen? Of kwam ze om te zeggen dat zij niet meer over hem wist dan in het schrift geschreven stond? Tante Emma had er spijt van dat ze haar het schrift had meegegeven. Spijt het mij, vroeg Vera zich af, dat ik op die bewuste kaart van Hester stuitte? Als ze die niet gevonden en gelezen had, zou ze nog steeds van niets weten en zou ze het nu een stuk gemakkelijker hebben. Jawel, maar er was een zegswijze die luidde: beter weten doet beter begrijpen. Stel toch eens dat ze haar broer zou kunnen opsporen en dat hij haar als zijn zusje wilde erkennen. Hoe mooi zou dat zijn... Vera pijnigde de verdere uren haar hersens zowat suf. Het speet Emma niet toen ze eindelijk een stem in haar auto hoorde zeggen: Bestemming bereikt. Heel even kreeg ze de neiging dank je wel te zeggen; ze moest er zelf om lachen.

De deur zwaaide open voordat Emma de bel had kunnen indrukken. En in tegenstelling tot hun eerste ontmoeting omhelsden de beide vrouwen elkaar nu ongedwongen en spontaan.

In de kamer wees Vera haar tante een gemakkelijke stoel. „Wilt u een voetenbankje? U zult wel moe zijn van de reis?"

„Dat valt gelukkig mee. Ik mag graag autorijden; dat scheelt een stuk!" Ze liet haar ogen door het vertrek dwalen en prees Vera: „Je woont hier mooi, je hebt het gezellig ingericht. Wonderlijk genoeg bijna helemaal naar mijn smaak."

Daarop zei Vera: „Mam en u leken uiterlijk op elkaar, misschien kwam jullie smaak wel net zo duidelijk overeen. Het huis is namelijk niet door mij, maar destijds door mam ingericht. Voor mijn leeftijd is het allemaal een beetje gedateerd, maar ik kan er geen verandering in aanbrengen. Ik ben bang dat ik er bepaalde herinneringen aan mam mee zou uitwissen." Ze zond Emma een ietwat hulpeloze blik toen ze er zacht aan toevoegde: „Ik blijf 'pap' en 'mam' zeggen omdat ze voor mijn gevoel niet opeens mijn opa en oma kunnen zijn..."

„Ik begrijp het, kindje. En ook dat ik het jou moeilijk heb gemaakt. Ik zei het al door de telefoon, ik moet herhalen dat ik er spijt van heb. Ik had het verleden voor jou moeten verzwijgen, precies zoals Sjoerd en Riet het hebben gewild. Ik vergeef mezelf nooit dat het door mijn toedoen anders is gelopen dan zij het zich wensten."

Vera had ondertussen koffie ingeschonken en een schaaltje, voor de helft gevuld met koekjes, de andere helft met bonbons, binnen Emma's handbereik gezet. Ze schonk haar tante een trouwhartige blik en zei welgemeend: „Ik denk er anders over, ik ben u juist bijzonder dankbaar. Want als u, net als mam vroeger altijd deed, er het zwijgen toe had gedaan, zou ik er niet achter zijn gekomen dat ik een broer heb! En dat hóór ik te weten, het is mijn goed recht! In uw schrift werd hij 'het kleine jongetje' genoemd. Wilde u het niet opschrijven, of kende u zijn naam niet?"

Emma trok met haar schouders. „Vraag me niet naar het waarom ervan, maar zijn naam werd indertijd door niemand van ons genoemd. Vermoedelijk namen wij genoegen met het feit dat hij door keurige mensen was geadopteerd. Ivo en Brenda Sieverts, op die mensen viel niets aan te merken." Het ontging Emma dat Vera lijkbleek wegtrok en dat de adem haar in de keel stokte. Emma praatte in volle onschuld aan één stuk door verder: „Ze runden samen een eetcafé, meen ik me te herinneren, in de binnenstad van Groningen. Toen Hester mij vertelde dat Sjoerd en Riet Rotterdam waren ontvlucht en dat zij in Groningen opnieuw van start wilden gaan, kreeg ik daar zo mijn bedenkingen bij. Ik heb niet tegen Hester durven zeggen dat ik Riet ervan betichtte dat zij in die stad wilde gaan wonen in de hoop dat zij er 'het kleine jongetje' van vroeger hoopte te vinden. Zoals Hester voor jou een naam had gekozen, zo gaf ze er ook een mee aan haar eerste kind. Ik weet voor mezelf welhaast zeker dat Riet op zoek wilde gaan naar..." Emma sloot met een verbaasd gezicht haar mond toen Vera haar onderbrak. Met een stem, niet meer dan een fluistering: „Naar Cas...? Hij heet voluit Cas Sieverts. Toch...?"

Emma keek nu nog verbaasder. „Ja, inderdaad. Maar hoe weet jij dat? Of had ik zijn naam toch in het schrift gezet?"

Vera schudde van nee. „Toen u de namen van zijn adoptieouders noemde, wist ik dat het Cas betrof... Maar ik kan het niet geloven, daar is het te onwerkelijk voor. Ik heb u de vorige keer beknopt verteld over mijn verbroken relatie, herinnert u zich dat...?"

„Jazeker. Jij noemde toen geen namen, maar voor die zogenaamde hartsvriendin van jou heb ik nog steeds geen goed woord over! Zij troggelde achter je rug het liefste wat je bezat van je af. Zo iemand kun je toch waarachtig geen vriendin noemen!"

„Het dringt niet tot u door dat ik opnieuw iets schokkends te verwerken heb gekregen," zei Vera zacht. „Dat zegt mij dat ik Andra, zo heet mijn vroegere vriendin, dankbaar moet zijn. Want als zij niet op Cas verliefd was geworden en hij op haar, is het niet ondenkbaar dat ik mijn zin had doorgezet. Ik ken mezelf en weet dat ik Cas er op den duur toe zou hebben bewogen met mij te vrijen. Zonder te weten dat hij mijn broer was... Wat gebeurt er toch allemaal met mij... waarom is het zo veel tegelijk?"

Dat Vera de wanhoop nabij was, was te zien aan de huilbui die haar overmeesterde. Ze sloeg haar handen voor haar gezicht en snikte: „Ik hield waarachtig van Cas... ik houd nog steeds van hem. Niet als van een broer, maar als van de man met wie ik samen oud had willen worden. Wat moet ik nu doen? Waarom helpt niemand mij?"

Emma snelde op haar toe en ging naast haar op de bank zitten. Ze trok het verdrietige meisje tegen zich aan en praatte tegen haar. „Stil maar, lieverdje, stil maar. Jij krijgt inderdaad te veel opeens te verstouwen en het is allemaal mijn schuld. Alhoewel...?" weifelde ze. En nadenkend praatte ze verder: „Misschien heeft het zo moeten gaan, bedenk ik nu en werd ik ertoe gedwongen jou het schrift ter hand ter stellen. Jij moest erachter komen dat Cas jouw broer is en dat het voor jullie allebei bijna 'vijf voor twaalf' is geweest. O, kind toch, ik moet er toch niet aan denken dat jullie door onwetendheid verder zouden zijn gegaan...!"

Vera had zich weer enigszins hersteld, al liepen er nog wel een paar tranen over haar wangen. Ze sloeg haar mooie, groene ogen op naar Emma en bewogen vroeg ze haar om advies. „Wat moet ik nu doen, tante Emma...? Ik durf Cas niet te benaderen en toch denk ik dat hij moet weten hoe nauw verbonden wij opeens met elkaar blijken te zijn.

Vanwege onze bloedband konden wij niet samen verder. Zou Cas in zijn onderbewustzijn hebben aangevoeld dat er iets opmerkelijks tussen ons was? Keerde hij zich daardoor van mij af en vond hij bij Andra de liefde die hij nodig had...? Het is zo complex, zo verschrikkelijk moeilijk allemaal," besloot ze met een zwaarmoedige zucht. En alsof ze op dat moment haar tegenwoordigheid van geest terugkreeg, liet ze erop volgen: „Door de consternatie vergeet ik helemaal u iets te eten aan te bieden. Ik heb een pizza, heeft u daar zin in?"

„Eerlijk gezegd heb ik wel trek," bekende Emma. Ze verzweeg wijselijk dat zij tussen de middag een pizza met Dinand had gegeten. Over toeval gesproken, dacht ze. „Ik help je wel even," zei ze, toen ze zag dat Vera gehaast opstond.

Kort hierna zaten ze voor het gemak aan de keukentafel. Voor de tweede keer die dag liet Emma zich een pizza goed smaken. Vera kon nauwelijks een hap door haar keel krijgen. Ze keek Emma verloren aan terwijl ze vaststelde: „U weet zich ook geen raad met de kwestie tussen Cas en mij. Ik maak het u erg moeilijk, hè...?"

Daarop zei Emma aarzelend: „Ja, zie je, het verbaast mij dat jij Hester niet noemt. Dat doet mij zeer; ik voel me met haar namelijk nauw verbonden. En nu het jongetje van toen opeens bij naam en toenaam genoemd kan worden, vult mijn hart zich met ongekende hoop." Ze beantwoordde de niet-begrijpende vraag in Vera's ogen door zich duidelijk uit te drukken. „Jij hebt gelezen hoe Hester er aan toe is. Ze ligt meestal met haar ogen open en zoals ik schreef, glimlacht ze af en toe. Geen mens kan met zekerheid zeggen wat er in een comapatiënt omgaat, maar soms krijg ik de indruk dat ze verstaat wat ik tegen haar zeg. Het zal wel valse hoop van mijn kant zijn, maar niettemin zou ik de proef op de som willen nemen. Als jij en Cas, haar beide kinderen, samen voor haar bed staan en tegen haar praten, zou ik haar reactie willen zien. Glimlacht ze dan alleen of... zal ze door de emoties met een schok uit haar coma ontwaken? Dat wil ik zo graag, dat is mijn grootste wens."

Vera keek haar tante van opzij aan. En hoewel zij verreweg de jongste was, leek ze de wijste met haar opmerking: „U zit uzelf nu sprookjes te vertellen, tante Emma! Of bent u vergeten dat Hester noch Cas noch mij wilde hebben? Ze zal niet lief glimlachen als ze ons kon horen of zien, wat ik trouwens zeer betwijfel. Ze zou eerder een blik vol afschuw op ons werpen. En die pijn, tante Emma, wil ik mezelf liever besparen. Als Hester mijn zusje was, zou ik er anders tegenover staan, nu zij echter is wie zij is, zie ik me niet aan haar bed zitten. Het spijt me..."

Emma slaakte een moedeloze zucht. „Mij ook."

Terug in de kamer bleven ze in de greep van het verleden. Emma had het voortdurend over Hester, terwijl Vera liever over iemand anders wilde praten. Op een gegeven moment onderbrak ze Emma en vroeg ze: „Realiseert u zich eigenlijk wel dat u ook de tante bent van Cas...?"

Emma knikte en zei afstandelijk: „Nu je het zegt... Ik moet even naar het toilet," liet ze er meteen op volgen.

U had niet duidelijker kunnen zijn, dacht Vera toen ze alleen werd gelaten. Mam is dus echt de enige geweest die haar hart liefdevol voor hem openzette. Voor de anderen was hij slechts 'het jongetje' dat zo snel mogelijk weggegeven moest worden. Arme Cas...? In plaats van hem te beklagen, moest ze misschien wel bedenken dat hij er gezegend van af was gekomen. Cas wist van niets en voor zijn gemoedsrust moest dat maar liever zo blijven. Of zat ze zichzelf nu een rad voor ogen te draaien? Bedacht ze een uitvlucht om hem niet onder ogen te hoeven komen...? Verstandelijk beredeneerd wist ze maar al te goed dat Cas alles hoorde te weten. Maar als ze naar de stem van haar hart luisterde, kreeg ze het benauwd. Want wat moest ze met Andra...? Ze had Andra de meest bijtende dingen recht in het gezicht geslingerd. Ze had haar voor van alles en nog wat uitgescholden. Tomeloze woede had het van haar intense verdriet gewonnen toen ze tegen Andra had getierd dat ze haar nooit meer wilde zien. En nu zag alles er opeens totaal anders uit. Moest zij nu met hangende pootjes tegen Andra zeggen dat ze er spijt van had? Terwijl de grote nederlaag die zij tegenover Andra had geleden, haar nog steeds pijn deed? Het was allemaal zo akelig dubbel. Ze voelde zich verstrikt in een web van duizend draden.

Vera bleef ermee worstelen, ook nadat Emma de volgende ochtend al op tijd weer vertrok. Omdat, zoals zij zei, er een maaltijd op tafel moest staan wanneer Dinand tussen de middag bij haar kwam eten. Zo voldeed Emma aan haar verplichtingen en tobde Vera met tal van gewetensbezwaren.

Totdat ze een ingeving kreeg waaraan ze geen weerstand kon bieden omdat het voor haar de gemakkelijkste weg was. Wat een geluk, bedacht ze, dat tante Emma het schrift bij mij heeft achtergelaten.

Die avond kwam Cas kort na Andra van zijn werk thuis. Hij begroette haar met een kus, waarna hij haar met een frons in zijn voorhoofd aankeek. „Er is iets met jou, dat lees ik van je gezicht af!"

Andra knikte en één en al ernst vroeg ze: „Heeft Vera nog steeds de sleutel van je voordeur?"

„Ja, hoezo?"

„Ze is binnen geweest. Toen ik thuiskwam, vond ik op de keukentafel een pakje voor jou. Daarop lag een brief. Op de envelop staat dat jij die als eerste moet lezen. Wat heeft dit te betekenen, Cas...?"

„Ik heb geen flauw idee. Vera heeft me blijkbaar iets te zeggen wat ze niet mondeling wil of kan doen. Omdat ze weet dat wij overdag allebei van huis zijn, snap ik, heeft ze op deze manier haar kans schoon gezien. Vreemd hoor, ze hoeft voor mij toch warempel niet bang te zijn? Wat staat er in de brief?"

Andra wierp hem een verontwaardigde blik toe. „Ja toe nou, je denkt toch niet dat ik een brief, aan jou gericht, ongevraagd ga lezen! Ik heb het pakje en de brief in de kamer op de tafel gelegd. Ga maar gauw mee, want ik stik zowat van nieuwsgierigheid. Ik hoop alleen dat ze jou niet voor rotte vis uitmaakt, zoals ze mij eens heeft gedaan."

Kort hierna zaten ze naast elkaar op de bank en lazen ze samen de brief.

Lieve Cas,

Ik heb je eens verteld dat mam een zus had, tante Emma en dat die in Rotterdam woont. Na dat pijnlijke tussen ons voelde ik me rottig, eenzaam vooral. Dat gevoel dreef me ertoe mijn tante op te zoeken. Ik heb toen mijn angst voor mams slaapkamer overwonnen en heb daar naar het adres van tante Emma gezocht. Behalve dat wat ik nodig had, vond ik een kaart aan pap en mam gericht, van ene Hester. Die naam wekte nieuwsgierigheid bij me op en eenmaal in Rotterdam heb ik tante Emma gevraagd wie Hester was. In plaats van me antwoord te geven heeft tante Emma me een schrift overhandigd dat ik pas thuis mocht lezen. Dat heb ik gedaan en nu voel ik me ellendiger dan ooit. Ik ben bang dat jij je net zo zult voelen als jij het verleden, door mijn tante opgeschreven, hebt gelezen. Tante Emma kon niet weten dat ik op een keer bij haar voor de deur zou staan en evenmin dat zij mij het schrift dan ter hand zou stellen. Was dat wel het geval geweest, dan had ze, om het voor mij duidelijker te maken, waarschijnlijk de naam van het jongetje genoemd dat erin beschreven wordt. Nu moet ik tegen je zeggen dat jij dat jongetje bent. Omdat ik hopeloos in de war ben, ook wat betreft mijn gevoelens voor jou, durf ik het niet persoonlijk aan je te vertellen. Ik hoop dat jij je daar iets bij kunt voorstellen. Groetjes, Vera.

Een moment zat Cas verdwaasd naar de brief in zijn hand te staren; dan zei hij misprijzend: „Wat moet ik hier nou in vredesnaam van denken! Mijn eerste indruk is dat Vera achter mijn rug op zoek is geweest naar mijn biologische ouders! Dat kan ik haar niet in dank afnemen, want ik heb die mensen heel bewust niet willen leren kennen. Dat wist Vera...!"

Daarop zei Andra sussend: „Veroordeel Vera nou niet meteen. Het lijkt mij verstandiger dat jij eerst het schrift leest waar zij je op wijst." Dat had Cas ondertussen uitgepakt en opengeslagen. En met een gemompeld: „Je hebt gelijk" wilde hij er meteen aan beginnen. Dat voorkwam Andra door te beslissen: „We gaan eerst eten! Daarna kun jij ongestoord lezen en beloof ik dat ik je niet lastig zal vallen."

„Bedankt voor je begrip, je bent lief!"

Kort hierna schrokte Cas de maaltijd in allerijl naar binnen. Andra vermoedde dat hij de smaak ervan niet proefde. Terwijl zij de klusjes deed die gedaan moesten worden, verdiepte Cas zich in de pennenvrucht van een voor hem vreemde vrouw. Maar zij sleurde hem wel mee naar een verleden waar hij deel van uitmaakte. Cas merkte niet dat Andra op een gegeven moment binnenkwam en een mok koffie voor hem neerzette. Die stond er onaangeroerd en koud toen Cas de laatste regel las en hij Andra riep.

Met een ontdaan gezicht vertelde hij haar in beknopte vorm de inhoud, waarna hij verzuchtte: „Het is niet te bevatten. En dan ook nog te moeten bedenken dat Vera het in d'r eentje moet verwerken. Ik heb jou; zij moet het onmenselijk moeilijk hebben. Ik heb het sterke voorgevoel dat zij ons nodig heeft. Want dat zij het schrift bij mij in huis bracht, was volgens mij niets meer dan een schreeuw om hulp. Wat denk je, Andra, zullen we naar haar toe gaan?"

„Wat de tijd betreft, kan het nog best, maar ik ga niet met je me mee. Het is een uiterst teergevoelige kwestie, die jullie samen moeten bespreken. Als broer en zus..." Andra sloeg haar ogen op naar Cas en begaan met hem vroeg ze zacht: „Dit had geen mens kunnen verwachten. Voel jij je er beroerd onder?"

Cas schokschouderde. „Ik kan mijn gevoelens momenteel geen plek geven. De namen Hester en Victor doen mij weinig. Ook al hadden zij mij niet weggedaan, dan nog zouden zij niet hebben kunnen tippen aan de mensen die mij groot hebben gebracht. Ik heb schatten van ouders gehad, ik ben werkelijk niets tekortgekomen. En waarom zou daar dan nu, na al die lange jaren, plotseling iets aan toegevoegd moeten worden? Dat kan helemaal niet; het is onzinnig. Dat geldt vanzelfsprekend niet voor het feit dat Vera mijn zusje blijkt te zijn. De schok is groot, maar ik ben er blij mee. Want nu kan ik eindelijk die heel aparte, warme gevoelens voor haar benoemen. Ik moet naar haar toe om haar dat te zeggen. En ik moet haar zien en aanraken, dat lieve zusje van me..."

Cas kreeg het te kwaad, maar hij werd getroost door Andra's liefde. Vera zat in d'r uppie. In diepe gedachten verzonken en omringd door eenzaamheid vroeg zij zich tal van dingen tegelijkertijd af. Ze schrok uit op haar gepeins toen de bel van de voordeur overging. Ze stond werktuiglijk op. Ze vermoedde dat het een collectant zou zijn en nam snel wat kleingeld uit haar portemonnee. Ik hoop, flitste het door haar heen, dat hij of zij in de gauwigheid niet zal kunnen zien dat ik zopas een potje heb zitten te janken.

Ze trok de deur open en toen ze in het dierbaarste gezicht keek dat ze kende, werden haar ogen van schrik en ongeloof eens zo groot. „Cas...?" Met het fluisteren van zijn naam deed Vera verbouwereerd een paar passen achterwaarts. Cas deed het tegenovergestelde en sloot de deur achter zich. Hij strekte zijn armen naar haar uit en geëmotioneerd zei hij schorrig: „Wat dacht jij dan, dat ik jou niet zou willen zien en troosten? Het liefste zusje dat een vent als ik zich wensen kan?"

Met Cas' armen om haar heen voelde Vera zich wonderlijk veilig geborgen. Ze legde haar gezicht tegen zijn borst en fluisterde: „Ik ben zo blij dat je er bent. Ik voelde me rottig, hopeloos alleen. Ben je er erg van geschrokken? Had ik het voor je moeten verzwijgen?"

Vera had zich losgemaakt uit zijn omarming. Toen Cas haar handen vast wilde pakken, zei hij meewarig: „Ach, meisje toch, je bent tot het uiterste gespannen. Je hebt je ene hand gebald tot een vuist. Probeer je te ontspannen, Vera!"

Ondanks alles schoot zij in de lach en opende ze haar hand. „Ik dacht dat er een collectant voor de deur stond. Ik was van plan dit geld in de bus te doen. Ik leg het hier op het tafeltje; dan kan ik mijn hand tenminste weer gewoon gebruiken." Ze voegde de daad bij het woord en omvatte met beide handen zijn gezicht. „Lieve Cas... het doet zo goed jou weer even dicht bij me te weten. Het erge van de hele kwestie is echter dat ik... nog net zo veel om je geef als voorheen." Na deze bekentenis boog ze beschaamd het hoofd. Cas legde zijn hand onder haar kin en hief haar gezicht weer naar hem op. En overtuigend zei hij: „Jij hoeft je nergens voor te schamen, je mág gerust heel veel van je broer houden! Dat we er allebei nog aan moeten wennen, staat er los van. Blijven we hier in de hal staan, of bied je me in de kamer een drankje aan? Daar ben ik namelijk wel aan toe!"

Even hierna zaten ze achter een glas wijn. Vera had zich in een hoekje van de bank genesteld, Cas zat tegenover haar in een diepe stoel. „Het is zó raar," zei Vera verlegen, „dat wij nu opeens weer bij elkaar zijn. En dat ik me daar zonder rancune of foute denkbeelden wonderwel bij voel..."

„Dat is alleen maar een goed teken," stelde Cas vast. Hij liet er bedachtzaam opvolgen: „We hadden alleen veel en veel eerder moeten weten dat we broer en zus zijn. Toch...?"

Vera knikte van ja en zacht vroeg ze: „Was het pijnlijk

voor jou te moeten lezen dat jij aangeduid werd met 'het jongetje', als was jij een niet noemenswaardig wegwerpartikel...?"

Cas haalde zijn schouders op. „Daarstraks heb ik aan Andra bekend dat ik mijn gevoelens nog geen vaste plek kon geven; tot nog toe is daar geen verandering in gekomen. Hester en Victor, het zijn voor mij slechts namen. Ik zie er geen gestalten bij, geen gezichten. Ik kan me er geen voorstelling van maken dat zij mijn biologische ouders zijn. Dit had ik dan ook liever niet geweten."

„Hoe denk jij over Hester...?"

„Volgens mij is zij als jong meisje al een labiel persoontje geweest en zo is ze haar verdere leven gebleven. Anders had ze zich toch warempel niet zo absurd volgzaam jegens een vent als Victor opgesteld? Daardoor kwam ze in de goot terecht. Ik kan er niets anders van maken en dat komt omdat ik het leven dat zij leidde, ronduit verafschuw. Het valt me nog mee dat ze niet aan de drugs waren. Een heroïnehoertje... dat zou het beeld bijna compleet maken," besloot hij cynisch.

„Dat ben ik met je eens. Voor mezelf vind ik dat wij Hester niet als onze moeder hoeven te beschouwen. Wij hádden ouders die er altijd voor ons waren. Weet je nog, Cas, dat wij het frappant vonden dat we zo veel gemeen hadden? Dan dachten we aan het feit dat we onze ouders allebei te vroeg hadden verloren. Dat we allebei in ons ouderlijk huis woonden en dat we exact dezelfde kleur haar hadden. In die tijd wisten wij niet hoeveel meer er nog bij zou komen. Pap en mam, zoals ik hen blijf noemen, zijn net zo goed jouw grootouders en tante Emma is ook jouw tante. Het is zo complex en dubbel allemaal, dat je het onmogelijk een-twee-drie kunt bevatten." Vera bloosde licht toen ze zei: „Ik moet je een vraag stellen die mij de hele tijd al bezig heeft gehouden. Toen wij een relatie hadden en niet beter wisten, wilde ik het liefst zo snel mogelijk met jou trouwen.

Daar moest jij echter niet aan dénken en dankzij jou zijn wij niet intiem geweest. Achteraf bezien kunnen we daar niet dankbaar genoeg voor zijn, maar voelde jij in die tijd aan dat er tussen ons iets was dat jou ertoe dwong afstand te bewaren?"

„Ik heb het schrift nog maar pas gelezen en nog maar weinig tijd gehad om dieper op alles in te gaan. Ik realiseer me nu wel dat het de bloedband moet zijn geweest waardoor wij ons vanaf het allereerste ogenblik zo sterk tot elkaar aangetrokken voelden. Ik hield van je, ik gaf ontzettend veel om je. En dat gevoel voor jou is nog onverminderd in mij aanwezig. Onderweg naar je toe heb ik God beloofd dat ik voortaan met zorg op mijn zusje zal passen. Waarom kijk je nu zo bang?"

„Ik weet niet of het weer net als voorheen zal kunnen worden. Want als ik aan Andra denk... Ik heb me vreselijk onaardig tegen haar gedragen, ik heb haar uitgescholden. Dat is zij vast niet vergeten...?"

„Nee, maar net als ik heeft Andra de hele tijd geweten waarom jij zo tegen haar uitviel. De zaken liggen plotseling anders, maar in de situatie van tóén walsten wij over jouw gevoelens heen. We bedrogen je achter je rug, zo was het wel. Daar hebben wij ontzettend veel last van gehad. Het was als een bedreigende wolk die onze liefde overschaduwde. We hebben meer dan eens overwogen er een punt achter te zetten, maar nu komt het gelukkig weer allemaal goed. Ik moest je de groeten doen van Andra en zeggen dat zij zich gelukkiger dan ooit zal voelen als jij weer haar hartsvriendin wilt zijn!"

„Is dat zo...? Kan alles tussen ons dan echt weer als voorheen worden?"

„Jazeker, als jij je tenminste niet langer inbeeldt dat je nog op dezelfde manier als toen van mij houdt!" Cas keek haar veelzeggend aan; Vera lachte voor het eerst bevrijd. En dat zij bepaalde gevoelens wel al een plek had kunnen geven, bleek wel toen ze schalks zei: „Was jij het niet, die me influisterde dat ik met een gerust geweten heel veel van mijn broer mag houden!" Ze was de ernst zelve toen ze erachteraan zei: „Ik heb kennelijk niet voor niets gebeden. Niet voor niets almaar gevraagd om de nodige wijsheid waarmee ik de zaken helder zou kunnen zien. Ik zou nu voor geen prijs meer met jou willen trouwen! We zijn voor iets behoed waarvoor we ons hadden moeten schamen. Ben je dat met me eens, Cas...?"

Hij knikte en zei aangeslagen: „We lijken slechts uiterlijk op de mensen die ons op de wereld hebben gezet. Met je mooie groene ogen lijk jij op Hester, heb ik begrepen en ik heb mijn donkere ogen van ene Victor. Ik zie het als een bijzonder groot voorrecht dat wij het innerlijk mochten krijgen van de mensen die ons grootbrachten. Zij hebben ons beschermd tegen kwaad en kwalijkheden. Wij hebben alle reden om dankbaar te zijn, Vera!"

„Ik weet het en toch..." Ze nam de tijd om haar verwarde gedachten te ordenen. Dan zei ze bewogen: „Vanwege haar kwalijkheden verloor Hester God uit het oog. En hoewel ze leeft, kan ze zich nu niet meer tot Hem keren. Dat vind ik dieptriest..."

„Dat is het ook, maar toch mag jij die last niet op je schouders nemen! Het zou je beletten zelf gelukkig te worden en geluk, lief zusje van me, wens ik jou als geen ander! Als jij je niet meer door verdriet in het verleden laat verdrinken, zal het geluk je weer toelachen. Dan pas, Vera, niet eerder!"

Daarop zei Vera ontroerd: „Jij praat nu net als de grote wijze broer die ik altijd graag had willen hebben. En nu ben je er opeens. Zo tastbaar aanwezig dat ik er helemaal vol van schiet. Sorry..."

Vera kon de tranen die al een poosje achter haar ogen brandden, niet meer bedwingen. En dat er té veel in haar omging, bewees ze met haar gesnik: „Ik dacht aldoor dat ik moederziel alleen op de wereld stond... dat er alleen een tante voor me was overgebleven. En nu heb ik jou terug en Andra is niet boos op me. Waar heb ik al dit goede dan nu weer zo plotseling aan verdiend...?"

Cas was op haar toe gelopen. Hij trok haar van de bank en tegen zich aan. En net als zij nog in de ban van het schrift zei hij aangeslagen: „Jij en ik, wij waren ongewenste kinderen. Maar ondanks onze treurige achtergronden, groeiden wij met zorg en liefde, zeer beschermd op. Dat mag een wonder worden genoemd. Zo voel ik het, zo moet jij het gaan voelen. Want achteraf bezien is het een vingerwijzing die mij in ieder geval te kennen geeft dat wij, ondanks alles, voor het geluk geboren werden. Wij hoeven ons geen zorgen te maken. Het pad dat wij nog moeten gaan, is al voor ons uitgestippeld!"

Vera keek bedenkelijk. Zij vond het gepraat van Cas overmoedig. Zij durfde de toekomst tenminste niet zo lichtvoetig tegemoet te treden. Er was er immers maar Eén die wist wat er voor je in het verschiet lag. Leven is strijden en die zegswijze, bedacht Vera, is vast en zeker niet voor niets door iemand verzonnen.

8

Die zaterdagochtend stapte Vera al om acht uur in haar auto, op weg naar Rotterdam. Dat wordt echt de hoogste tijd, bedacht ze, want het is te lang geleden dat ik tante Emma een bezoek heb gebracht. Nadat tante Emma bij haar was geweest en de ontknoping van het verhaal over 'het jongetje' aan de orde was gekomen, hadden ze elkaar alleen nog door de telefoon gesproken. Inmiddels was het al eind juli geworden, maar in al die lange, vervlogen weken was er een boel goeds tot stand gekomen. Het allermooiste van alles was het weerzien van Andra en haar geweest. Na het onverwachte bezoek van Cas aan haar was zij het weekeinde daarop te gast geweest bij Cas en Andra. Tijdens hun eerste hernieuwde ontmoeting hadden ze allebei tranen met tuiten gehuild. Het waren vreugdetranen en toen ze hun emoties weer onder controle hadden, was het meteen weer even eigen en vertrouwd geweest als voorheen. Vanzelfsprekend was het verleden herhaaldelijk onderwerp van gesprek geweest, maar ze hadden ook weer als vanouds gegiebeld en gelachen om niks. Op de zaterdagavond van dat weekeinde waren ze met hun drieën uit geweest en hadden ze onbezorgd verschrikkelijk veel lol gehad. De volgende ochtend, toen ze achter de koffie zaten, had Vera aan Cas gevraagd of hij er geen behoefte aan had tante Emma te ontmoeten. Hij had zijn hoofd geschud en gezegd: „Jij hebt ondertussen al heel wat telefoongesprekken met haar gevoerd. Uit jouw verhalen daarover is mij duidelijk geworden dat mijn naam kennelijk niet over haar lippen wil komen. Moet ik me dan aan haar opdringen? Nee, Vera, daar peins ik niet over. Het initiatief zal van haar moeten komen; anders blijft de situatie zoals die is. Ik heb er vrede mee als ik voor haar slechts 'het jongetje' moet blijven."

Andra en zij hadden het liever anders gezien, maar niettemin hadden ze begrip voor het standpunt van Cas. Vlak voordat Vera die zondagavond weer naar haar eigen huis ging, had Andra bedisseld: „We hebben een geweldig fijn weekeinde gehad, dat zeker voor herhaling vatbaar is! Daarom moet jij voortaan elk weekeind bij ons komen! Het is immers nergens voor nodig dat jij in je eentje thuis zit te kniezen?" Cas was het helemaal met Andra eens geweest. Zij had echter niet geweten hoe snel en overtuigend ze moest zeggen dat ze daar niets voor voelde. „Als ik een partner had, zouden we inderdaad als vroeger met ons vieren kunnen optrekken. Nu ik alleen ben, zou ik me bij jullie het vijfde rad aan de wagen voelen. Ik wil dat jullie onbekommerd van elkaar genieten. Door de omstandigheden van toen heb je dat te lang niet kunnen doen! Ik kom heus wel regelmatig even bij jullie binnen vallen, maar niet op afspraak ieder weekeinde. En zorgen hoeven jullie je om mij niet te maken. Ik red me heus wel!" Daar dachten Cas en Andra helaas anders over, maar ze waren verstandig genoeg om te beseffen dat zij haar in haar waarde moesten laten en dat ze geen druk op haar mochten uitoefenen. Dat Cas als een broer voor haar zorgde, had hij bewezen door op kantoor zowel aan hun baas als aan de collega's te vertellen over de radicaal veranderde verhoudingen tussen Cas en haar. Ze hadden er elk op een eigen manier op gereageerd. Het feit dat Cas en zij opeens broer en zus bleken te zijn, had bij allen de nodige beroering teweeggebracht. Toen het tot hen was doorgedrongen waarom zij de hele tijd zogenaamd ziek thuis was gebleven, had Pieter de Waal haar onmiddellijk gebeld. Ze hoorde hem nog zeggen: „Kom alsjeblieft gauw weer in ons midden, Vera. Je kunt nergens sneller 'beter' worden dan bij ons! Ik beloof jou hetzelfde als dat we Cas hebben gedaan, namelijk dat wij er niet op terug zullen komen. Uit respect voor jullie allebei is het is voor ons voldoende te weten dat Cas en jij broer en zus zijn. Overhaast ik je als ik zeg dat ik je morgen weer op kantoor wil zien verschijnen?"

Zij had ontroerd tegen Pieter gezegd: „Ik wil niets liever dan de draad van mijn leven weer oppakken. Ja, natuurlijk zie je me morgen, enne... Ontzettend bedankt voor je hulp, voor het begrip dat jij hebt getoond. Jij bent echt fantastisch, wees gerust trots op jezelf!" De volgende dag was ze toch wat verlegen op haar plaats achter de computer geschoven en toen er tijdens de koffiepauze gebak werd bezorgd ter ere van haar terugkeer, had ze haar ogen niet droog kunnen houden. Een van haar collega's had Cas een por gegeven: „Kom op, ga je zusje troosten!"

Vera glimlachte er in gedachten om en terwijl zij het verkeer om haar heen niet uit het oog verloor, mijmerde ze ongestoord verder. Vanaf die dag waren haar dagen weer heerlijk gevuld en 's avonds was er in huis altijd wel iets wat gedaan moest worden. Al met al was de tijd voorbij gevlogen en was een bezoek aan tante Emma erbij ingeschoten. Maar dat kon ze nu ruimschoots goedmaken, want vandaag was haar vakantie ingegaan. Veertien dagen zou ze mogen doen waar ze zin in had. Als tante Emma het gezellig vond, zou ze best een paar dagen bij haar kunnen blijven. Door de telefoon hadden ze afgesproken dat ze het verleden zo veel mogelijk zouden laten rusten. Alles was gezegd en besproken; het had geen zin oude koeien uit de sloot te halen, had tante Emma geopperd. Daar heeft u gelijk in, dacht Vera. Desondanks had zij niet met alles vrede kunnen hebben. In die tijd had zij vaak aan Eiko gedacht. Ze vond het niet passend dat hij van niets wist. Op een avond had een bepaalde gewetenswroeging haar ertoe gedwongen en had ze hem gebeld. Hij had verrast op haar stem gereageerd. En toen ze aan hem vroeg of hij een keer bij haar langs wilde komen, omdat ze hem iets zeggen moest wat door de telefoon niet mogelijk was, had hij beloofd zo snel mogelijk een afspraak te maken. De eerstvolgende zaterdagavond daarop had hij in de kamer tegenover haar gezeten. In het begin hadden ze zich allebei een beetje onwennig jegens elkaar gevoeld. Op haar vraag of hij er inmiddels een beetje overheen was, had Eiko gezegd: „Het is gegaan zoals het kennelijk gaan moest en dan is omkijken naar wat is geweest, volkomen nutteloos. Andra heeft zich in haar gevoelens voor mij vergist. Daar kwam ze achter toen ze van Cas ging houden. Ze heeft geen misdaad begaan, ze heeft alleen de stem van haar hart gevolgd. Hoe zou ik haar dat kwalijk mogen nemen?" Hij had er lachend achteraan gezegd: „In het begin kon ik er niet zo nuchter tegen aankijken, hoor! Toen had ik behoorlijk met mezelf te doen, maar dat is gelukkig voltooid verleden tijd! Ik hoop dat jij inmiddels het pijnlijkste verdriet om Cas ook achter je hebt kunnen laten?"

Na die vraag van Eiko was zij lang aan het woord geweest. Ze had hem alles verteld; naderhand had ze het gevoel gehad alsof ze Eiko het hele schrift had voorgelezen. Hij had er geschokt op gereageerd. En nadat hij een en ander op een rijtje had gezet, had hij haar trouwhartig aangekeken en gezegd: „Cas en jij, jullie mogen je handen dichtknijpen!"

Zij had niet-begrijpend gevraagd: „Hoezo, wat bedoel je?" Daarop had Eiko met zijn schouders getrokken. „Nou ja, net als vriendinnen dat doen, vertellen kameraden elkaar ook wel eens iets vertrouwelijks onder vier ogen. Daardoor wist ik van Cas dat jullie niet intiem met elkaar omgingen. Nu vraag ik me af of Cas in zijn onderbewustzijn heeft aangevoeld dat hij een bepaalde grens nauwlettend in het oog moest houden. Daar lijkt het volgens mij op." Ze had hem gelijk moeten geven en gezegd dat Cas en zij zich hetzelfde al meer dan eens bezwaard hadden afgevraagd. Die avond hadden Eiko en zij tot diep in de nacht gepraat. Op een gegeven moment had hij toch wat bewogen gevraagd of Andra gelukkig was. Toen Vera daar bevestigend op had geantwoord, had Eiko gezegd: „Daar ben ik blij mee. Andra is een lieve meid; zij verdient het goede in haar leven. Dat meen ik echt, hoor Vera!" Eiko was gewoon een fijne vent. Hij verdiende het geluk in zijn leven net zo goed als Andra en dat had ze toen tegen hem gezegd. Hij had erom gelachen. „Laat mij maar stil begaan. Het komt wel goed. Ik ga weer ieder weekeinde met een stel vrienden stappen. Vandaag of morgen zal ik heus wel tegen de ware aanlopen. Als jij op een zaterdagavond of zo met je ziel onder je arm zit, mag je gerust een keer met ons mee! Dan hoef je maar een seintje te geven en ik kom je halen!" Ze had gezegd dat ze het lief van hem vond, dat ze erover na zou denken, terwijl ze toen meteen al had geweten dat ze niet op zijn voorstel in zou gaan. Ze vond Eiko beslist aardig, maar ze was er nog niet aan toe om leuk en gezellig te moeten zijn tegen een stel vrienden van hem, jongens die zij niet kende. Eiko had haar daarna nog een keer gebeld, maar de laatste tijd hoorde ze niets meer van hem. Ach, misschien was het wel beter zo, bedacht Vera. Op dat moment zag ze langs de kant van de weg een bord dat verwees naar een wegrestaurant iets verderop. Ja, dacht ze, even pauzeren voor een kop koffie en wat lekkers erbij lijkt me een goed idee! Ze nam de eerstvolgende afrit en kort daarna zat ze achter een kop koffie en een punt appeltaart. Een joekel die er goed uitzag, maar van geen kanten smaakte. Ze schoof het van zich af en toen ze opkeek, zag ze aan het tafeltje naast dat van haar een man zitten die haar een vriendelijke lach toezond. Werktuiglijk maakte Vera een hoofdknikje en tot haar verbazing zag ze dat de man met zijn kop koffie in de hand op haar toe kwam. Hij wees op de stoel tegenover die van haar en vroeg: „Is het gepermitteerd dat ik er even bij kom zitten?"

Vera wierp hem een twijfelachtige blik toe, maar knikte schouderophalend van ja. Nadat hij plaats had genomen, verontschuldigde hij zich: „Sorry voor mijn vrijpostige gedrag, maarre... Nou ja, ik zal er maar eerlijk voor uitkomen dat ik behoefte heb aan wat aanspraak.”

Vera sloeg haar ogen vragend naar hem op. „Heeft u soms een lange, eenzame reis achter de rug en moet u nog ver?”

Hij schudde zijn hoofd. „Nee, dat is het niet; was het maar zo eenvoudig. Je hoeft me trouwens niet met u aan te spreken, hoor! Ik ben dertig, wel wat jaartjes ouder dan jij, zie ik, maar dat mag voor jou geen reden zijn om me als een oude vent te beschouwen die keurig u moet worden genoemd. Ik ben Rutger. Rutger Mellema, om precies te zijn.”

„De naam Mellema klinkt mij noordelijk. Kom je misschien uit Friesland?”

Tot haar verwondering hoorde ze hem zeggen: „Nee, ik ben een rasechte Groninger. Ik woon in de stad en ben onderweg naar Schiedam om een bezoek te brengen aan mijn schoonouders.”

Vera lachte: „Hoe is het mogelijk! Ik woon namelijk ook in Groningen! Ik heb vakantie en ga een paar dagen naar mijn tante die in Rotterdam woont. Overigens, ik heet Vera Dexter.”

„Vera, mooie naam. Mijn vrouw heette Rebecca. Een naam om te koesteren, maar dat geluk is mij niet gegeven. Mijn vrouw is anderhalfjaar geleden overleden. Ze kwam van oorsprong uit Schiedam, maar ze had het bij mij in Groningen geweldig naar haar zin. Ze was kerngezond, totdat er werd ontdekt dat ze longkanker had. In zo’n vergevorderd stadium dat chemokuren of bestralingen uitgesloten werden. Men kon haar alleen nog iets tegen de pijn geven. Ik ben dankbaar dat ze geen lange lijdensweg heeft gehad. Sorry dat ik jou ermee lastig val. Maar het zit nog allemaal zo hoog en dan wil je het graag eens van je af praten.”

„Maar dat is begrijpelijk,” zei Vera ontdaan. „Ik heb met je te doen. Heb je kinderen?”

Hij schudde van nee. „Rebecca en ik wensten ze wel, maar nu ze er niet zijn, spijt dat me niet. Wat moet een man alleen beginnen met kleine kinderen? Dat brengt immers alleen maar nog meer moeilijkheden met zich mee. Ik heb al zo veel aan mijn hoofd; daar kan niks meer bij." Hij slaakte een loodzware zucht, waarna hij vroeg in welk deel van Groningen Vera woonde. Zij noemde de wijk alsmede de straat, waarna de man met een blik op zijn horloge zei: „Ik moet er maar eens weer vandoor." Hij stak zijn hand uit, waar Vera die van haar in legde en zei: „Bedankt voor je luisterend oor. Het was kort, maar het heeft me goed gedaan!"

„Een goede reis verder en heel veel sterkte," zei Vera welgemeend warm. En zo onverwacht als hij bij haar was komen zitten, zo onverwacht zat zij weer alleen. Het was over- duidelijk geweest, bedacht Vera, dat hij zijn verdriet even met iemand had moeten delen. Ze had met hem te doen. Om te zien vond ze Rutger Mellema een aantrekkelijke man. Hij was fors gebouwd en had donker haar. Het eerste wat haar aan hem was opgevallen, waren zijn ogen. Ze had zelfs een paar keer het gevoel gehad dat ze in Cas' ogen keek. Die van Rutger waren net zo mooi, net zo donkerbruin. Wat toevallig dat hij ook uit Groningen kwam. Hier onderbrak Vera haar gedachten aan de man die een deel van zijn bagage bij haar had achtergelaten en gaf ze zichzelf een reprimande: als jij nu niet snel afrekent en in je auto stapt, kom je nooit waar je zijn moet! Ze vermoedde dat tante Emma al ongeduldig naar haar zat uit te kijken.

Ruim een uur later bleek dat mee te vallen, want nadat ze elkaar met een kus hadden begroet, zei Emma: „Je bent lekker vroeg, ik had je nog niet verwacht. En dus heb ik de koffie nog niet klaar, maar dat is zo gepiept!" Ze nam de bloemen die Vera voor haar had meegebracht, in ontvangst. Ze kleurde een beetje, toen ze vol zelfspot zei: „Ik ben er blij mee. Een oude vrijster als ik krijgt niet vaak zomaar een bos van die prachtige bloemen. Het is lief van je, dank je wel!"

Terwijl Emma koffie ging zetten, schikte Vera de bloemen

in een vaas en vertelde ze over haar ontmoeting met ene Rutger Mellema. Toen ze was uitverteld zei Emma: „Ik denk, ik weet het wel zeker, dat er niet veel mensen zijn die zonder kleerscheuren door het leven komen. Maar ik kan jou niet genoeg waarschuwen dat je niet met vreemde mannen moet aanpappen. Voor een jong meisje als jij is dat echt levensgevaarlijk!"

Vera schoot in de lach om het ernstige gezicht van haar tante. „Ik heb gewoon eventjes naar zijn besognes geluisterd. Dat is heel iets anders dan met hem aanpappen, hoor!"

„Ja, ja, dat zal wel," zei Emma sceptisch. Daarna bedisselde ze: „We gaan lekker buiten zitten. Ik heb de tuinstoelen al klaargezet! Het is heerlijk zonnig weer, daar moet je volop van genieten!"

Even hierna zaten ze op het terras achter de koffie met een plak zelfgebakken cake die beduidend lekkerder smaakte dan de appelpunt eerder die ochtend. Het compliment van Vera was dan ook op zijn plaats. Zij had alle tijd om de zoete lekkernij op te peuzelen, want Emma praatte aan één stuk door. Vera luisterde beleefd, maar het interesseerde haar niet echt dat tante haar vitrages van de week had gewassen, dat ze de keuken had gesopt en de buitenboel had gedaan. „Ik ben altijd druk bezig," vervolgde Emma, „ik verveel me zelden of nooit."

„Uw huis blinkt dan ook van onder tot boven en dat kan ik van het mijne niet altijd zeggen. Ik kan heel gemakkelijk dingen overslaan die eigenlijk wel zouden moeten gebeuren."

„Dat komt door het generatieverschil," meende Emma. „De jonge vrouwen van tegenwoordig zijn niet zo poetserig, heb ik wel eens gehoord. Nou, ik mag wat graag een beetje soppen en boenen, daar kom ik recht voor uit, hoor!"

Vera vond het welletjes en in een poging een ander onderwerp van gesprek aan te snijden stelde ze voor: „Zullen we vanmiddag na het eten de stad in gaan? Gezellig winkelen en hier en daar een terrasje pikken lijkt mij wel wat."

Emma trok een bedenkelijk gezicht. „Dat pleziertje zou ik je graag gunnen, maar ik had me voorgenomen naar Hester te gaan. Door de week zoek ik haar regelmatig op. In tegenstelling tot vandaag schiet de zaterdag er wel eens bij in, maar de zondag kán ik niet overslaan. Hoewel ik het natuurlijk niet hard kan maken, heb ik toch het gevoel dat Hester juist die dag op mij ligt te wachten. Jij zou mij er een groot plezier mee doen als je vanmiddag met me meeging!"

Emma bracht Vera ermee in verlegenheid. Zij bloosde licht en hakkelde: „Ja, dat... geloof ik graag. Maar..." Nadat ze een onhoorbaar zuchtje had geslaakt, keek ze Emma aan en zei ze resoluut: „Het spijt me, tante Emma, maar ik heb het daar nog niet aan toe. Hopelijk neemt u het me niet kwalijk...?"

„Waar zou ik dat recht vandaan moeten halen," zei Emma. Het moest begripvol overkomen, maar daarvoor keek ze net even te teleurgesteld.

Vera ondernam andermaal een poging om het gesprek een wending te geven. „Hoe is het met Dinand?"

„Goed, hoor!" Vervolgens legde Emma een vinger tegen haar lippen en met gedempte stem fluisterde ze: „Hij zit aan de andere kant van de heg in zijn tuin. Ik wil niet beweren dat hij voor luistervink zou kunnen spelen, maar je weet het maar nooit!" Ze gebruikte haar stem weer gewoon toen ze informeerde: „Door de telefoon kon je me er geen antwoord op geven, maar weet je nu inmidddels al hoe lang je bij me blijft?"

„Als u het goedvindt, dacht ik aan een paar dagen." Ze hield een slag om de arm door eraan toe te voegen: „We zien wel hoe het loopt." Ze voelde zich een beetje opgelaten en dat kwam, vermoedde Vera, doordat tante Emma over Hester was begonnen. Door de telefoon had ze ook telkens laten blijken dat ze wilde dat zij bij Hester op bezoek zou gaan. Maar ze durfde het niet; het idee alleen al schrok haar af. Als tante Emma er weer over begon, ging zij misschien eerder naar huis dan de bedoeling was. Ze zou nu willen dat tante Emma weer over het poetsen van haar huis of over andere onbenulligheden begon.

Dat deed Emma niet. In plaats daarvan zei ze dat ze zich jammer genoeg een poosje in de keuken terug moest trekken. „Niet alleen omdat Dinand verwacht dat er zo dadelijk een maaltijd voor hem klaar zal staan, maar onze magen willen straks ook gevuld worden. Ik hoef de soep alleen maar even op te warmen, maar aan de rest moet nog het een en ander gebeuren!" Emma stond op en toen Vera gedienstig aanbood haar te helpen, kreeg zij op besliste toon te horen: „Daar komt niks van in! Jij bent bij mij te gast. En trouwens, als ik aan het kokkerellen ben, wil ik liever door niets en niemand gestoord worden. Ik was op je aanbod voorbereid en dus heb ik al een paar weekbladen voor je klaargelegd. Ga maar lekker zitten lezen; ik zal me ondertussen haasten!"

Het duurde inderdaad minder dan een uur totdat Emma tegen Vera zei dat ze aan tafel kon gaan en over de heg riep: „Dinand, ben je daar nog? Ik heb het eten klaar, hoor!"

„Mooi zo, ik ben al onderweg!"

Even hierna begroette Dinand Vera. En toen zij hem alleen een hand gaf, trok hij een quasi teleurgesteld gezicht. „Wat is dit nou, kan er geen kusje af?"

Vera lachte en vervolgens drukte ze een vluchtig zoentje op zijn wang. „Zo goed dan?"

„Alles is beter dan niks." Hij schonk haar een brede lach.

Emma had haar best gedaan. Na de soep werden Vera en Dinand verrast door een overheerlijk tussengerechtje en daarna serveerde ze gebakken aardappelen, verschillende soorten groente en een mals biefstukje. Als toetje was er ijs met vruchten en slagroom. Emma mocht herhaaldelijk complimenten in ontvangst nemen, die haar zichtbaar goed deden. Na de maaltijd trok ze echter een zorgelijk gezicht en onderstreepte dat met de woorden: „We hebben erg lang aan tafel gezeten, voor mij eigenlijk te lang. Want als Hester op mij ligt te wachten, zoals ik tegen beter weten in telkens hoop, dan zal zij onrustig worden. En dat wil ik haar graag besparen..."

Voordat Vera haar mond open kon doen, zei Dinand: „Ga maar gauw naar uw oogappeltje toe! Vera en ik ruimen de boel wel op en voor die afwas draaien wij ons hand ook niet om. Toch?" Met die vraag richtte hij zich tot Vera. Zij lachte: „Nee, natuurlijk niet!"

„Jullie zijn lieverds," zei Emma welgemeend. „Dan maak ik me nu snel uit de voeten!"

Emma voegde de daad bij het woord en een halfuurtje later hadden Dinand en Vera, gezellig pratend en lachend, de klus geklaard die ze op zich hadden genomen. „Zullen we de zon dan nu maar weer opzoeken?" vroeg Vera, waarop Dinand antwoordde: „Ja, maar dat doen we nu in mijn tuin, op mijn terras! Jij bent nog nooit bij me binnen geweest en ik wil jou mijn huis graag eens laten zien. Of voel je er niets voor?"

„Tuurlijk wel, ik ben zelfs benieuwd!"

Een paar minuten hierna prees Vera: „Jij hebt het écht leuk ingericht! Supermodern, daar houd ik van, zo zou ik het ook willen. Ik kan er echter nog steeds niet toe komen de spullen van mam op te ruimen. Zou dat kinderachtig van me zijn, of overdreven sentimenteel?"

„Nee, hoor! Het is gewoon een kwestie van tijd. Het is juist heel verstandig dat jij die in acht neemt. Van alles wat je overhaast doet, krijg je later gegarandeerd spijt. Kom, ik laat je mijn keuken nog zien en dan gaan we naar buiten."
De keuken was eveneens zeer modern. Een droom, vond Vera. Ze kon echter niet nalaten op te merken: „Goed beschouwd heb jij al die apparatuur niet nodig; je doet er immers niets mee. Of kook je tussendoor toch wel eens voor jezelf?"

„Nee, nooit. Toen Jolanda de benen nam, om het maar grof uit te drukken, heeft zij het merendeel van de meubels en dergelijke meegenomen. Wat ze achterliet, heb ik weggedaan en daarna heb ik alles opnieuw aangeschaft. Stom genoeg ook een keuken met alles erop en eraan. Ga je mee?" Hij wachtte haar antwoord niet af, maar beende voor haar uit naar buiten. Daar wees hij op een tuinstoel: „Die zit bijzonder lekker! Wat wil je drinken, zeg het maar, ik heb alles wel zo'n beetje in huis."

Vera blies haar wangen bol en pufte: „Hoe kom je op het idee? Ik zit nog zo vol als wat; er kan voorlopig zelfs geen slok water bij!"

Dinand lachte en bekende: „Het vergaat mij eerlijk gezegd net zo!"

Vera liet zich in de aangewezen stoel zakken, toen ze verderop in de tuin een poes zag zitten. Een zogeheten tijgerkatje. Ze wees Dinand erop: „Kijk dan, wat een schatje!"

Hij glimlachte. „Ja, dat is Lot."

„Lot, kom dan," riep Vera. Het katje keerde haar kopje naar Vera toe, mauwde en even later sprong ze bij Vera op schoot. Zij aaide het diertje en verrukt zei ze: „Jij bent werkelijk een schatje! Hoe kom je eraan?" vroeg ze aan Dinand. Hij vertelde: „Ze is een poos geleden bij me komen aanlopen. Ik vermoed dat ze een eenzaam zwerfstertje was en aanvoelde dat ze het beste terecht kon bij een eveneens eenzame, menselijke lotgenoot. Daarom heb ik haar Lot genoemd en ik moet zeggen dat ze zich helemaal thuis voelt, hier bij mij. En ik, op mijn beurt, zou haar niet meer willen missen." Na die uitleg keek Dinand haar van opzij lachend aan. Vera was echter de ernst zelve toen ze zacht vroeg: „Voel jij je eenzaam, Dinand...?"

Hij trok met zijn schouders en zei ietwat onwillig: „Nou ja, wat is eenzaam. Ik zou wel graag wat meer leven om me heen willen hebben. Ik heb mijn werk en een paar fijne kameraden, maar het merendeel van de tijd moet je toch in je uppie door zien te komen. Maar de vraag die jij mij stelt, zou ik jou ook kunnen voorleggen. Welk antwoord kan ik dan verwachten, Vera?”

Nu maakte Dinand haar verlegen. Het duurde dan ook even voordat ze zei: „Ja, ik ben ook veel alleen… Maar nu Cas en ik weten wat we aan elkaar hebben, is het voor mij allemaal veel gemakkelijker geworden. Ik neem aan dat tante Emma alles aan jou heeft verteld…?”

Dinand maakte een bevestigend hoofdknikje. „Ik ben blij voor jou en je broer en het doet me goed te weten dat jij je vriendin weer helemaal terug hebt. Maar het is niet genoeg voor zo’n jong meisje als jij, Vera! De liefde van een broer of een vriendin kan niet in de schaduw staan van wat een liefhebbende partner je kan geven. Dat zul je met me eens zijn.”

„Ja, natuurlijk. En nu ik op een heel andere manier van Cas ben gaan houden, sluit ik me ook heus niet af voor een nieuwe liefde in mijn leven. Maar ik ga er zeker niet naar op zoek, want zo ver ben ik dus nog niet!” Ze zweeg even totdat ze eraan toevoegde: „En misschien blijf ik wel, net als tante Emma, mijn leven lang vrijgezel. Dan weet ik één ding heel zeker,” zei ze lachend, „dat ik net zo’n lief poesje wil hebben als Lot. Kijk dan, hoe schattig ze zich op mijn schoot heeft genesteld!”

„Ze is een verschrikkelijk aanhalig diertje. Ze wil het liefst almaar dicht bij je zijn en geaaid worden. Het is gezellig, zo’n beestje in huis. Maar het blijft een dier waar je tegen praat en dat je moet verzorgen, geen mens van vlees en bloed.”

Vera bleef het katje op haar schoot aaien terwijl ze onomwonden tegen Dinand zei: „Jij bent veel eenzamer dan je toe durft te geven! Waarom zoek jij geen lieve vrouw! Je bent pas achtentwintig en hebt nog een heel leven voor je. Besef je dat eigenlijk wel?”

„Jawel, ik ben namelijk niet gek en mijn verstand is behoorlijk gezond. Daar luister ik misschien wel te nauwgezet naar. Wie zal het zeggen...?"

„Vind je het gek dat ik je nu even niet kan volgen?"

„Het is Joep," bekende Dinand. „Louter en alleen om hem durf ik geen nieuwe relatie aan te gaan. Zoals je weet, zie ik mijn kleine zoon jammer genoeg niet al te vaak. Maar de keren dat hij bij mij is, moet alles hier voor hem fijn en harmonisch zijn. Mijn verstand zegt me dat ik het kereltje zou laten schrikken als er opeens een andere vrouw bij mij in huis was. Ik ben bang dat hij dan uit zichzelf niet meer bij me wil komen. Ik wil Joep voor geen prijs verliezen, maar anders... Ja, dan wist ik het wel."

„Heb je soms al iemand op het oog? Die indruk geef je me nu."

„Ja, wis en waarachtig. En ook nog eens het liefste wezentje dat er volgens mij bestaat. Zullen we het over iets anders hebben? Met dit gepraat schieten we allebei immers niets op?"

„Je hebt gelijk. Het betekent dat de liefde voor bepaalde mensen lang niet zo mooi en rooskleurig is als in boeken wordt beschreven en in liedjes wordt bezongen. En toch vertik ik het mezelf een pechvogel te noemen. Ik hoop dat jij er net zo over denkt."

Dinand glimlachte. „Liefde is er in vele vormen, soorten en maten. Kijk naar mij, een volwassen kerel die stapeldol op zijn kat is. Kijk naar jouw tante, mijn buurvrouw. Zij houdt met hart en ziel van een comapatiënt die haar niets terug kan geven. Dat, Vera, noem ik pas triest."

„Dat is het ook..." Vera liet haar gedachten op volle toeren werken voordat ze aan Dinand vroeg: „Tante Emma heeft mij ik-weet-niet-hoe-vaak gesmeekt een keer met haar mee te gaan naar Hester. Ik houd de boot almaar af. Nu vraag ik me af of ik haar dat plezier niet toch moet gunnen? Wat denk jij...?"

Daarop zei Dinand bedachtzaam: „Het is een uiterst

teergevoelige kwestie. Het enige advies dat ik je kan geven, is dat jij je daar goed bij moet voelen. En dat is niet egoïstisch, want soms, Vera, is een mens genoodzaakt zichzelf in bescherming te nemen."

Vera knikte en bekende: „Ik ben bang om aan het ziekbed van die vrouw te moeten staan. Verstandelijk weet ik dat zij mijn moeder is, maar gevoelsmatig kán zij het niet zijn. Vroeger wilde zij mij niet en nu verlang ik niet naar haar. Hester... zij is me zo vreemd. Zo verschrikkelijk vreemd..."

Vera kon haar tranen niet voor Dinand verbergen en in zijn medelijden met haar vergat hij na te denken, maar liet hij spontaan zijn hart spreken. „Ik zou je nu willen zoenen. Het is voor mij de enige manier om je te kunnen troosten..."

Vera lachte door een waas van tranen heen. „Doe dat maar liever niet. Je kent me nog niet goed genoeg; anders zou je weten dat ik dan nog harder ging janken. Het is alweer over," zei ze dapper, terwijl ze driftig langs haar ogen wreef. Ze lachte alweer toen ze zei: „Het was gezellig, maar nu ga ik weer naar de andere kant. Ik verwacht tante Emma elk moment weer thuis en dan moet er een potje thee voor haar klaarstaan. Wij zien elkaar de komende dagen nog wel, hoop ik," zei ze er licht blozend achteraan. Met het katje in haar armen stond ze op en legde het behoedzaam op de plek waar zij gezeten had. Ze aaide het en fluisterde: „Slaap lekker verder en wees lief voor je baasje."

Tewijl Vera op Emma wachtte, waren haar gedachten bij Dinand. Ze vond het zielig dat hij zijn zoontje zo weinig zag. Hij was echt een lieverd en verdiende beter. Ze had hem opeens veel beter leren kennen en ze moest zeggen dat ze hem bijzonder graag mocht. Of was het meer dan dat en had ze zich daarom zo wonderlijk warm bij hem gevoeld? Ze moest geen valse hoop koesteren, want in verband met zijn zoontje durfde Dinand geen nieuwe relatie aan te gaan. En mocht hij er ooit wel aan toe zijn, dan had hij allang iemand anders op het oog. Ze had heus goed naar hem geluisterd!

Op dat moment kwam Emma vanuit de kamer het terras op en toen Vera haar vertrokken gezicht zag, stond ze op en vroeg ze zacht: „Was het moeilijk, tante Emma, of... was ze er slecht aan toe?"

Emma schudde haar hoofd. Ze liet zich in een stoel zakken en zei met een van verdriet verwrongen stem: „Nee, er is geen verandering in haar toestand gekomen. Ze ligt daar maar te liggen, de stakker... Ik heb zo'n medelijden met haar. Het vreet aan me dat ik niets voor haar kan doen, terwijl ze me zo dierbaar is..." Het was de eerste keer dat Vera haar tante zag huilen. Ze snelde op haar toe, legde een arm om haar voorovergebogen schouders en overmand door medelijden beloofde ze zonder het te weten of te willen: „Stil maar, de eerstvolgende keer ga ik met u mee naar Hester. Dan kunt u een beetje op mij steunen en komt u hopelijk niet zo vreselijk verdrietig thuis..."

Emma hief haar betraande gezicht met een ruk naar Vera op. „Ach, kindje, wat maak jij me hier verschrikkelijk blij mee! Ik vertel Hester almaar over jou en dan glimlacht ze. Dat is geen verbeelding van me; ik heb het daarstraks met eigen ogen opnieuw gezien. Toen ik afscheid van haar nam, heb ik haar beloofd dat ik morgen weer bij haar zal komen. Had ik het toen maar geweten, dan had ik tegen haar kunnen zeggen dat jij met me mee kwam. Ze zal er blij mee zijn, dat weet ik zeker...!"

Ik ben er niet blij mee, dacht Vera bedrukt, dat ik u in een opwelling een belofte heb gegeven waar ik niet zelf achter sta. Lieve deugd, waarom had ze haar mond niet gehouden? Ze zag nu al als een berg tegen de dag van morgen op.

De verdere dag ontging het Emma dat Vera stiller was dan gewoonlijk. De volgende ochtend werd Vera al vroeg door Emma gewekt: „Omdat jij me zo onzegbaar blij hebt gemaakt, eten we niet gemakshalve een boterhammetje uit het vuistje, maar heb ik de ontbijtafel feestelijk voor je gedekt! We gaan straks samen naar de kerk. Dan kan ik een beetje met jou pronken, maar het belangrijkste voor mij is dat wij dan alvast samen voor Hester kunnen bidden. De uren zullen voorbij vliegen. Voordat we er erg in hebben, zullen we samen bij Hester zijn. Daar verheug ik me echt waanzinnig op!"

Vera kon het enthousiasme van haar tante wel begrijpen, maar niet delen. Ze had nog steeds spijt van haar gedane belofte en tot overmaat van ramp, bedacht ze, kreeg tante Emma gelijk en vloog de tijd voorbij.

Eerder dan haar lief was, stond Vera aan het voeteneind van het ziekbed van een vrouw die haar volkomen vreemd was. Emma had zich over Hester gebogen, zij streelde en kuste haar en zei almaar weer op een fluistertoon dat Vera er was. „Het kleine meisje van toen, weet je nog, lieveling...?"

Ik ben niet jouw kleine meisje, schoot het opstandig door Vera heen. Toch heb ik met je te doen; daar kan ik niet omheen. Je lijkt zo kwetsbaar, je bent volkomen weerloos. Maar eens, dat kan ik niet vergeten, heb jij pap en mam veel verdriet bezorgd. Daar trok jij je mooi niets van aan. Jij leefde je leven, je gedroeg je als een slet. Je bent een slet... Vera keerde zich abrupt om en verliet op een drafje niet alleen het eenpersoonszaaltje, maar ook het verpleegtehuis. Emma kwam haar geschrokken achterna. Bij de uitgang haalde ze Vera in en hield ze haar staande. Teleurgesteld in haar zei ze bestraffend: „Je tranen bewijzen me dat je met Hester te doen hebt, maar je hebt niks tegen haar gezegd! Niet één lief woord. Je hebt haar zelfs niet aangeraakt!" Vergoedelijkend liet ze erop volgen: „Nou, stil maar, huil maar niet meer. Een dezer dagen gaan we opnieuw naar haar toe en dan kun jij je foute gedrag van nu goedmaken."

Ik ga niet weer met u mee, wist Vera heel zeker. Ik wil

naar huis, ik kan dit niet aan... Die vrouw kan niet mijn moeder zijn. Ik voel niets voor haar, helemaal niets. Zij is in mijn ogen een... slet. Het is vreselijk, maar zo, vol afschuw, zie ik haar.

9

Vera hield het toch nog twee dagen vol in Rotterdam. Maar toen ze op woensdagochtend in haar auto stapte, slaakte ze een zucht van verlichting. Gelukkig, het zat erop! En voorlopig, nam ze zich voor, laat ik Rotterdam voor wat het is. Tante Emma begreep niets van haar gevoelens. Ze had de afgelopen maandag en dinsdag almaar lopen zeuren dat ze toch best nog eventjes naar Hester konden gaan. Zopas, vlak voordat ze afscheid nam, had tante Emma opnieuw een poging ondernomen om haar zin door te drijven. Voor de allereerste keer had zij toen Cas' naam genoemd. „Als jij het moeilijk vindt om alleen met mij bij Hester te zijn, vraag dan of je broer een keer met je mee wil gaan! Ik heb al eerder gezegd dat Hester wellicht uit haar coma wakker schrikt als Cas en jij, haar beide kinderen, aan haar bed staan en tegen haar praten. Heb het er maar eens over met Cas!"

U bent ontegenzeglijk een lief mens, dacht Vera, maar uw gezeur over Hester werkt verschrikkelijk op mijn zenuwen. Ze had het ook vast geen twee dagen meer bij tante Emma volgehouden als Dinand er niet was geweest. Aan hem had ze in een onbewaakt ogenblik vertrouwelijk verteld wat ze gevoeld en vooral gedacht had toen ze aan het bed van Hester had gestaan. „In gedachten heb ik haar uitgemaakt voor slet," had ze tegen Dinand gezegd, „en ik heb er niet eens spijt van." Waarom er dan toch tranen in haar ogen waren gesprongen, wist ze nog steeds niet.

Dinand, de lieverd, had haar tegen zich aan getrokken en een lange, troostende zoen op haar voorhoofd gedrukt. Vervolgens had hij haar een voorstel gedaan dat zij met beide handen had aangegrepen, omdat ze tante Emma er eventjes mee kon ontlopen. En zo waren zij afgelopen maandagavond samen in de stad uit geweest en had Dinand haar gisteravond opnieuw verrast, deze keer met een bioscoopje. Tante Emma had haar de uitjes van harte gegund. „Je bent maar eenmaal jong en daar moet je volop van genieten," had ze gezegd.

Ze durfde al welhaast te zeggen dat ze Dinand inmiddels door en door kende. Ze zou echter tegen geen mens durven zeggen dat ze het jammer vond dat hij zijn oog al op iemand anders had laten vallen. Hij had haar 'het liefste wezentje' genoemd. Zij zou die vrouw willen zijn, maar helaas...

Ondanks die teleurstellende gevoelens besloot ze zich er niet door te laten ontmoedigen. Want had Dinand niet zelf gezegd dat liefde vele vormen en maten had? Nou, dan zou het toch wel raar moeten lopen als er voor haar geen maatje te vinden was. Want het was wel zo dat zij door toedoen van Dinand verlangde naar iemand met wie zij haar leven zou kunnen delen. Het alleen zijn viel haar steeds moeilijker. Ze wilde net als Cas en Andra gelukkig worden in de liefde. Ze zou geduld moeten betrachten, maar werd er niet gezegd dat die uiteindelijk beloond werd? Bij die gedachte zweemde er een zuurzoet lachje om haar lippen. De verdere reis stonden haar gedachten niet stil, maar de naam Hester liet ze er zeer bewust niet in toe.

Dat die naam haar hoog zat en haar parten speelde, bleek later, want thuisgekomen pakte ze als eerste haar tas uit en bedacht ze met een hoofdknik: ziezo, hiermee heb ik de herinneringen aan Rotterdam voorlopig uitgewist. Daarna maakte ze zich een mok koffie en ging ze boodschappen doen. In de supermarkt vroeg ze zich af wat ze met de resterende vakantiedagen moest doen. Ze zou bijvoorbeeld, naar een van de waddeneilanden kunnen gaan. Jawel, maar daar zou ze ook alleen rondslenteren. Wat dat betrof, kon ze net zo goed gewoon thuis blijven. Ik zie wel, bedacht ze schouderophalend. Ze zou straks wel even naar de bibliotheek gaan en een paar boeken halen. Met een goed boek hoefde een mens zich in ieder geval niet te vervelen.

Die avond belde ze Cas om te zeggen dat ze weer thuis was. Op zijn vraag of ze het leuk had gehad, kreeg hij een bevestigend antwoord. Ze vertelde over Dinand en hoe gezellig zij met hem uit was geweest. Haar bezoek aan het verpleegtehuis verzweeg ze voor hem. Het is nog maar de vraag of ik aan Cas vertel waar ik Hester voor heb uitgemaakt, schoot het door haar heen. En als ik denk dat hij het moet weten, zal dat niet door de telefoon gebeuren, maar onder vier ogen.

Na Cas kreeg ze Andra te spreken en net als vroeger was een uur volpraten voor hen heel gewoon. Op een gegeven moment gaf Andra haar een advies: „Neem voor het naar bed gaan een wijntje, daar slaap je lekker op! Want aan het drukke gepraat van jou te horen heb je de opgedane indrukken nog niet helemaal verwerkt. Je vertelde daarnet geestdriftig over Lot, de kat van Dinand Kersten. Je noemde haar een schatje, maar voel jij niet ook iets in die richting voor de baas van het diertje?"

„Hoe kóm je erbij? Ik krijg de indruk dat jij zelf aan een wijntje toe bent. Je zit gewoon te raaskallen! Nou, ik hang op, we zien en spreken elkaar weer gauw. Dag!"

Ik moet dus beter op mijn woorden letten, bedacht Vera en ervoor oppassen dat ik Dinand niet de hemel in prijs. Best wel moeilijk en daarom mag er, wat mij betreft, wel iemand op mijn pad komen die me helpt hem uit mijn gedachten te verbannen.

Die nacht droomde Vera over een vrouw met een paar grote, groene ogen in een opvallend bleek gezicht. Ze glimlachte echter niet. Ze werd zelfs boos toen Vera recht in haar gezicht zei dat zij zich in haar leven als een slet had gedragen.

De volgende ochtend herinnerde Vera zich de droom en bedacht ze dat het vast een vingerwijzing was geweest die haar duidelijk had gemaakt dat ze niet meer naar Hester moest gaan. Want stel je toch eens voor dat zij die vreselijke benaming in werkelijkheid tegen Hester zou gebruiken. Vanzelfsprekend zou ze dat nooit bewust doen, maar uit onbedachtzaamheid zou die over haar lippen kunnen rollen. Uit voorzorg en zelfbescherming zou zij het verpleegtehuis laten voor wat het was.

Ze zat aangekleed en opgemaakt achter een tweede mok koffie, toen ze zich afvroeg wat ze in vredesnaam de hele dag moest gaan doen. Ze vond het opeens eerder lastig dan leuk dat ze niet aan het werk hoefde. Goed beschouwd had ze haar vakantie verkeerd gepland; ze had beter kunnen wachten tot Cas en Andra ook vakantie hadden. Dan zouden ze samen iets kunnen organiseren. Ja, leuk hoor, dacht ze cynisch, kun jij je weer lekker het bewuste vijfde rad voelen! Niet zonder zelfmedelijden dacht ze erachteraan dat zij reden te over had om zichzelf een eenzame ziel te noemen.

Ze voelde iets achter haar ogen prikken, dat echter spoorslags verdween toen de bel van de voordeur overging. Met de vraag wie het zou kunnen zijn, stond ze op. En toen ze de deur opentrok, keek ze in een paar zeer donkere, lachende ogen. Een moment wist Vera niet hoe ze het had, maar dan zei ze verrast: „Rutger…? Al wie ik had verwacht, jou niet!"

Hij lachte breed. „Je bent in ieder geval eerlijk! En ik bof, want ik had de mogelijkheid niet uitgesloten dat een van je ouders de deur zou openen. Nu kan ik gewoon aan jou vragen of ik even mag binnenkomen?"

„Ja, natuurlijk! Ik vind het erg leuk dat je me bent komen opzoeken! Ik woon hier overigens alleen, mijn ouders zijn overleden."

Rutger keek alsof hij zijn oren niet geloofde. „Dat vind ik erg voor jou, ronduit triest. Want als je zo jong bent als jij, red je het in je eentje immers niet."

Daarop zei Vera gedecideerd: „Dan vergis jij je toch wel heel erg in mij!"

In de kamer wees ze hem een stoel. „Ga lekker zitten, dan

maak ik ook voor jou snel een mok koffie. Suiker en melk?" Rutger zei dat hij zijn koffie zwart dronk, waarop Vera naar de keuken verdween. Ze was in een ommezien terug en ging tegenover hem op de bank ging zitten en herhaalde wat ze daarnet ook al had gezegd: „Ik had jou echt niet verwacht!" Ze verzweeg dat dat kwam doordat ze geen moment meer aan hem had gedacht.

Dat bleek bij hem niet het geval te zijn, want hij zei in volle ernst: „Het klinkt misschien theatraal, maar het is niets dan de waarheid als ik zeg dat jij de hele tijd niet uit mijn gedachten bent geweest. Het was niet alleen je luisterend oor, ik vond je meteen al bijzonder aantrekkelijk. Jij noemde toen de wijk en de straat waar je woonde en die gegevens werden ogenblikkelijk in mijn geheugen opgeslagen. Net als je huisnummer, dat ik naderhand in het telefoonboek heb opgezocht. Omdat jij van plan was, zoals je toen zei, een paar dagen bij je tante te blijven, heb ik mijn geduld op de proef moeten stellen. Vanochtend besloot ik te gaan kijken of jij inmiddels misschien weer thuis was. En wat had ik een geluk!"

Vera bloosde toen ze zei: „Ja, sorry... maar doe jij nu niet wat al te enthousiast? Ik weet in ieder geval niet wat ik er zo gauw op zeggen moet."

Daarop zei Rutger bedachtzaam: „Ik denk dat ik jou wél begrijp! Jij kunt wat ik voel, niet delen, omdat je me een oude knar vindt! En vergeleken bij jou ben ik dat met mijn dertig jaar misschien ook wel. Mag ik vragen hoe oud jij bent, Vera?"

„Ik word binnenkort eenentwintig."

Rutger durfde niet tegen haar te zeggen dat hij haar minstens vier jaar ouder had geschat. Hij knikte goedkeurend. „Heerlijk jong nog!" Nadat er een korte stilte was gevallen, nam hij de draad van het gesprek weer op. „Jij mag er uiteraard anders over denken, maar ik vind dat een verschil in leeftijd, hoe groot of klein ook, er in wezen niet toe doet."

Zijn veelzeggende blik, strak op haar gericht, deed Vera zeggen: „Wáár toe doet...? Ik schrik van jouw voortvarendheid. Je doet het voorkomen alsof er in dat wegrestaurant iets tussen ons is ontstaan. Maar daar ben ik me niet van bewust, hoor! Ik weet heel zeker dat ik er in ieder geval geen aanleiding toe heb gegeven. Ik heb toen niet met je geflirt, om maar wat te noemen, want dat ligt mij namelijk niet!"

„Daar moet ik je volkomen gelijk in geven. Het lag ook zeker niet in mijn bedoeling jou ergens mee te overdonderen. Maar ik kan er niets aan doen, niets aan verhelpen, dat ik meer voor jou voel dan wellicht wenselijk voor me is. Om te beginnen zouden wij vrienden kunnen worden. Daar steekt toch geen kwaad in...? Toe Vera, gun me dat pleziertje. Ik voel me soms zo verschrikkelijk eenzaam," liet hij er bewogen opvolgen. Het ontging Vera niet dat hij bepaalde emoties moest onderdrukken voordat hij verder kon gaan. „Toen ik besloot jou te gaan opzoeken, had ik voornamelijk met mezelf te doen. Maar nu ik hoor dat jij, net als ik, ook alleen bent, krijg ik steeds sterker het gevoel dat wij elkaars eenzaamheid kunnen oplossen. Hoe komt het dat zo'n jong meisje als jij hier in haar eentje woont? Of wil je me dat liever niet vertellen?"

Vera haalde haar schouders op. „Het is geen geheim, dus wat dat betreft..." Ze nam een adempauze om erover na te denken en dan maakte ze hem deelgenoot van haar voorgeschiedenis. Ze bracht er beknopt verslag van uit en ze besloot met blozend te bekennen: „Ergens had jij wel gelijk, ik voel me soms ook eenzaam. En dan, dom genoeg, vind ik mezelf zielig..."

Rutger keek haar opmerkzaam aan. „Nu jij me over je leven hebt verteld, vraag ik me af of het niet zo heeft moeten zijn dat ik jou in dat wegrestaurant aansprak. Misschien herkende ik toen in mijn onderbewustzijn in jou een lotgenoot. Want waar haalde ik anders de brutaliteit vandaan, vraag ik me nu pas af, om je te komen opzoeken? Je had wel verloofd kunnen zijn! Dat is gelukkig niet het geval. Maar zou het niet mooi zijn Vera, als wij, twee eenzame zielen, iets voor elkaar zouden kunnen betekenen?"

„Misschien wel..." weifelde Vera. Wat Rutger daarnet allemaal zei, had haar doen bedenken dat er inderdaad gesproken mocht worden over frappant veel toevalligheden. Dat Rutger daarstraks bij haar voor de deur had gestaan op het moment dat zij zichzelf een eenzame ziel had genoemd, was er duidelijk één van. En had ze niet ook bedacht dat ze wenste dat er voor haar iemand kwam die haar eenzaamheid zou kunnen oplossen en die haar hielp Dinand te vergeten? Dinand was voor haar onbereikbaar, maar dat betekende niet automatisch dat zij, daardoor gedwongen, alleen verder moest. Wat belette haar dan ja te zeggen tegen Rutger?

Op dat moment vroeg hij zich hardop af: „Wat speelt er zich toch allemaal af in dat mooie hoofdje van jou?"

Vera hief haar gezicht weer naar hem op en zei zacht: „We kunnen het in ieder geval proberen. Vrienden te worden, bedoel ik!" Dat laatste, duidelijk als een waarschuwing bedoeld, deed Rutger denken: ze is even jong, mooi en lief als naïef. Helemaal mijn type. Hij glimlachte en zei: „Ik begrijp wat je ermee bedoelt en zal er zeker rekening mee houden. Hand erop!" Hij stond op, maar behalve een hand gaf hij haar ook een kus vol op haar mond. Het was niet eens zozeer de onverwachte kus die Vera in verwarring bracht, maar veel meer de stem van Dinand die plotseling in haar oor klonk: Ik zou je willen zoenen. Om zich een houding te geven nam ze de lege mokken van de tafel en haastte zich ermee naar de keuken. Daar nam ze de tijd om tot zichzelf te komen en toen ze Rutger hierna een volle mok voorzette, had ze zowel haar stem als haar emoties weer onder controle. „Ben je vrij vandaag, of heb je ook vakantie? Om deze tijd van het jaar zou je niet de enige zijn?"

„Ik, uh... Ja, ik heb mezelf op een paar weken vakantie

getrakteerd, maar daarna moet ik weer aan de slag."

„Wat doe je eigenlijk voor de kost? Je lijkt me geen type voor een kantoorbaan, of vergis ik me daarin?"

Rutger lachte breed. „Je slaat de spijker op zijn kop! Ik ben freelance journalist. Ik jaag altijd achter het laatste nieuws aan en dat is voor mij telkens weer een uitdaging. Het is een mooi vak, hard werken en toch eigen baas kunnen zijn. Zo kan ik een dag vrij nemen als dat me van pas komt, maar ook een aantal weken."

„Ben je dan niet bang dat een ander er met het nieuws vandoor gaat dat jij graag aan een krant of aan een weekblad had willen verkopen? Want zo gaat dat toch in zijn werk?"

Hij aarzelde voordat hij zei: „Ja, zo ongeveer." Daarna sneed hij, gehaast leek het, een ander onderwerp aan. „Ik denk opeens dat ik je een lunch zou willen aanbieden, maar ik ben vergeten mijn portemonnee in mijn broekzak te steken. Behoorlijk stom natuurlijk, maar ik heb vaker last van verstrooide buien. Jammer, het leek me juist zo leuk om onze beginnende vriendschap met een gezellig etentje van start te laten gaan."

„Maar dan doen we dat toch gewoon en trakteer ik jou!" bedisselde Vera. „Ik ben een geëmancipeerde vrouw. Als jij daar geen moeite mee hebt, stappen we meteen op!"

„Rebecca was net als jij. Zij nam ook graag het voortouw. Maar dat stoort mij niet in het minst!"

„Je hebt het er nog wel moeilijk mee dat zij er niet meer is. Dat liet jij in het wegrestaurant al merken."

Rutger trok met zijn schouders. „Natuurlijk mis ik haar... Maar het leven gaat door, wordt er altijd gezegd en dat geldt dus ook voor mij. Eerlijkheidshalve moet ik bekennen dat dat pas tot me doordrong na de allereerste kennismaking met jou. Jij deed toen iets met me waardoor ik me niet langer wilde verdrinken in verdriet. Maar daar heb ik uiteraard nog wel wat hulp bij nodig!"

Zijn veelzeggende blik deed Vera beloven: „Ik zal mijn best voor je doen."

Kort hierna stonden ze buiten en wees Vera op de fiets die tegen de zijmuur van haar huis stond. „Ik zie dat je op de fiets bent, of woon je soms vlakbij?"

Rutger omzeilde haar vraag door te zeggen: „Ik heb mijn auto gisteren naar de garage gebracht. Door mijn eigen stomme schuld heb ik een aanrijding gehad. Over en weer was er geen persoonlijk letsel, maar mijn auto liep er een forse deuk bij op. Het zal wel even duren voordat ik hem op kan halen, want hij moet uitgedeukt en overgespoten worden. Het is niet anders," besloot hij schouderophalend.

Vera lachte. „En het is alweer geen punt, want aan mijn wagentje mankeert niets!"

Het was maar een kort ritje naar de binnenstad en nadat Vera de auto in een parkeergarage had gezet, liepen ze naast elkaar naar de brasserie die Vera op het oog had. Tegen de voorgevel ervan stond een man geleund die zich een krentenbol goed liet smaken, zag Vera. Ze had echter niet verwacht dat de sjofel uitziende persoon Rutger aan zou spreken. „Zo, zo, Rutger Mellema, het is lang geleden dat ik jou voor het laatst zag. En het gaat je blijkbaar weer goed, want anders zou jij niet in zo'n sjieke gelegenheid naar binnen gaan!"

Rutger keurde de man geen blik waardig en het was maar goed dat Vera zijn gedachten niet kon lezen: „Vuile hufter, snap je dan niet dat je me erin had kunnen luizen!" Hij nam Vera bij de hand en trok haar haastig mee naar binnen. Toen ze aan een tafeltje plaats hadden genomen, informeerde zij: „Wie was die man van daarnet? Ik kreeg de indruk dat jullie elkaar kenden, maar verder kon ik zijn rare praat niet volgen?"

„Je gaf het zelf al aan, hij is inderdaad een rare. En dan druk ik me zacht uit, want in werkelijkheid is hij behoorlijk getikt. Hij is er kennelijk weer wat bovenop gekomen, maar vroeger heeft hij een zwerversbestaan geleid. Daar kent hij mij blijkbaar nog van, want in die tijd heb ik hem eens geïnterviewd. Ik heb er een smeuïïg verhaal van gemaakt, dat ik vervolgens goed heb verkocht. Zullen we nu eens kijken of we een keuze kunnen maken uit de kaart?"

Het werd een gezellig etentje; de gerechten waren verrukkelijk en Rutger gedroeg zich uiterst charmant, vond Vera. Hij wist de gesprekken niet alleen vlot gaande te houden, maar vertelde ook zo boeiend dat zij zowat aan zijn lippen hing. Hij leek in de verste verte niet op Dinand, maar ze mocht hem al wel erg graag. De rest, bedacht ze berustend, heeft tijd van groeien nodig.

10

Het was zaterdagochtend één oktober. Vera had lekker lang uitgeslapen. Nu zat ze achter een beker warme chocolademelk en bedacht ze dat de tijd bepaald niet had stilgestaan. Maar het groeiproces tussen Rutger en haar was niet verlopen zoals zij het zich had gewenst. In plaats van een opwaartse, leek hun relatie eerder op een neergaande spiraalbeweging. Cas had haar een paar maanden geleden al gewaarschuwd, maar daar had zij toen geen oren naar gehad. De allereerste keer dat Cas en Andra kennis met Rutger hadden gemaakt, was op haar verjaardag geweest. Zij kende Rutger toen zelf nog maar een paar weken en in die tijd had zij Cas en Andra al uitvoerig verteld over haar nieuwe vriend. Haar verjaardagsfeestje was geen succes geweest. De onderlinge gesprekken wilden niet vlotten en er werd nauwelijks gelachen. Zij kende Cas door en door en daardoor was het haar niet ontgaan dat hij Rutger continu scherp in de gaten hield. Tot haar ergernis van toen legde Cas elk woord, elk gebaar van Rutger op een denkbeeldig weegschaaltje. Ze had zich eraan gestoord dat Cas aan Rutger vroeg wat hij voor de kost deed, terwijl zij hem dat allang had verteld. Ja en toen zei Rutger dat hij sportverslaggever was. Cas had haar toen ongemerkt een veelzeggende blik toegeworpen en zij had moeten toegeven dat het inderdaad niet klopte met wat hij haar had verteld. Maar omdat ze Rutger toen nog van geen kwaad kon betichten, had ze bedacht dat hij nerveus werd onder de peilende blikken van Cas. En dat je er dan wel eens iets uitflapte wat niet met de waarheid strookte, had zij zich kunnen voorstellen. De volgende ochtend had zij Cas gebeld. Op haar vraag: „Hoe vonden jullie Rutger?” had Cas onomwonden gezegd: „Dat hoef je me niet te vragen. Je hebt gisteravond wel gemerkt dat ik bepaald niet juichend met hem wegliep. Ik houd niet van oneerlijke mensen. Vandaar dat ik me op mijn manier op hem afreageerde. Hij heeft mij de hele avond niet één keer recht in de ogen durven kijken en dat riep bedenkingen bij mij op!"

Zij had het voor Rutger opgenomen. „Het zijn vaak onzekere mensen, die hun gezicht tijdens een gesprek van je afkeren. Toe nou, Cas, moet je daar dan meteen een halszaak van maken...?"

„Ik mag aannemen dat jij verliefd bent en dan zie je het verschil tussen waan en waarheid niet, of onduidelijk. Geloof nu maar van mij dat het geen eerlijke mensen zijn die een bepaald verhaal mooier maken dan het is of het een tweede keer heel anders vertellen. Daar heb ik Rutger gisteravond een paar keer op betrapt! Ik wil je niet meteen bang maken, maar wel wil ik je waarschuwen dat jij goed moet letten op wat hij zegt en doet!"

Zij was toen niet alleen teleurgesteld in Cas, maar vooral boos op hem geweest. Want hoe kon hij nu meteen zo negatief doen over iemand die hij voor het eerst zag en sprak! Ze had Cas' kritiek op Rutger slecht kunnen verdragen, maar desondanks waren zijn waarschuwingen in haar hoofd blijven hangen. „Houd jij van die man?" had Cas onlangs aan haar gevraagd. Daarop had zij gezegd hoe het was: „Nee, maar wat niet is, kan komen. Ik mag hem graag. Dat is voor mij voorlopig voldoende." Ze had wijselijk voor Cas en Andra verzwegen dat zij Rutger niet durfde los te laten, bang als ze was dat ze zich dan weer alleen gelaten en eenzaam zou voelen. Rutger ergerde zich de laatste tijd ook aan haar, peinsde Vera met de lege beker in haar handen geklemd. Hij wilde meer van haar dan vriendschappelijke omgang. „Hoe lang moet ik nog wachten," had hij kortgeleden narrig gevraagd, „voordat wij een keer seks met elkaar zullen hebben? Jouw gedrag is behoorlijk afwijkend; ik kan het niet anders zien!" Ze prees zich gelukkig dat ze toen haar mondje wél tegen hem had geroerd. „Ik weet het wel, hoor Rutger, dat het tegenwoordig heel 'normaal' schijnt te zijn dat een stel, zonder te weten of ze van elkaar houden, meteen met elkaar het bed in duikt. Kijk en dát noem ik afwijkend gedrag waar ik niet aan mee wil doen!" Na dat geruzie hadden ze de verdere avond met mokkende gezichten bij elkaar gezeten en daarna was het eigenlijk niet meer wat het geweest was. Ze was niet meer alleen, maar verder had ze er niet veel mee gewonnen, want haar gevoel voor Dinand was onveranderd gebleven. Heel vervelend en dat gold ook voor het feit dat ze Rutger steeds meer ging wantrouwen. Aanvankelijk had ze het niet erg gevonden dat zij haar portemonnee alweer moest trekken omdat Rutger die van hem weer eens had vergeten mee te nemen. Hij leed bij tijd en wijle immers aan verstrooidheid, had ze berustend kunnen bedenken. Later was ze het raar gaan vinden dat hij haar telkens liet betalen en dat heel normaal scheen te vinden. En nu ze er zo over zat te denken, was het toch wel heel opmerkelijk dat Rutger niet wilde vertellen waar hij woonde. Als ze hem erover aansprak, omzeilde hij haar vraag door te zeggen: „Ik kan jou niet bij me binnenlaten, want ik schaam me voor de troep die je er zult aantreffen. Ik maak nooit iets schoon. Jij zult in mijn huis je neus ophalen. Laat nou maar, we hebben het gezellig hier bij jou, wat wil je dan nog meer?"

Het was nog maar kort geleden dat Cas naar zijn adres had geïnformeerd. Cas had toen op de man af aan Rutger gevraagd: „Waar woon jij eigenlijk? Ik ben het tot dusverre vergeten aan jou of Vera te vragen." Toen kon Rutger er kennelijk niet onderuit en had hij straat en huisnummer genoemd. Het was een adres aan de andere kant van de stad. Zij had het in haar oren geknoopt en bedacht dat Rutger elke keer een behoorlijk eind moest fietsen om bij haar te komen. Ze vermoedde dat zijn auto een gammel karretje was, want die stond vaker voor reparatie in de garage dan dat Rutger hem kon gebruiken. Maar ja, hij fietste liever.

Zei hij… Waarom geloof ik dat ook al niet meer, vroeg Vera zich bezwaard af. Zo kan het toch niet doorgaan? Het leek immers nergens op, niet eens op vriendschap. Lag het aan haar? Gedroeg zij zich jegens Rutger te argwanend? Of gedraag ik me om de lieve vrede te gemakzuchtig, vroeg ze zich af. Het was eigenlijk wel zo dat zij hem in bijna alles zijn zin gaf. Als ze het niet met hem eens was, kwam ze daar niet voor uit, maar hield ze haar mond. Omdat ze er allang achter was gekomen dat zij Rutger met één verkeerd woord vreselijk boos kon maken. Het is te zot voor woorden, flitste het door haar heen, maar ik gedraag me bij hem werkelijk als een doetje. En dat wil ik helemaal niet, want zo bén ik niet! Ja, ja, ik ben bang voor eenzaamheid, voor het alleen-zijn, maar moet ik daar alles voor opofferen? Moet ik er een gedaanteverwisseling voor ondergaan? Daar kwam het op neer, want zij was niet meer degene die ze was geweest. Maar die ze wel weer wilde zijn…

Het was alsof dit denken Vera de ogen opende. Want strijdlustig opeens praatte ze hardop in zichzelf: „Ik móét mezelf terugvinden en dat kan slechts op één manier!" Ja, zeker weten, ze moest naar Rutger om haar ongenoegen over hun relatie met hem uit te praten. Hij kon vandaag en morgen niet bij haar komen, had hij gisteren gezegd. Hij had een smoordrukke week achter de rug. Hij voelde zich opgebrand en had een weekeinde voor zichzelf nodig om bij te tanken. Natuurlijk had zij daar begrip voor kunnen opbrengen. Nu dacht ze opstandig dat je voor het verbeteren van je vriendschap gewoon niet te moe kón zijn. Met een blik op de klok zag ze dat het inmiddels half één was geworden. Eerst maar even een paar boterhammen eten, besloot ze, dan kan Rutger ondertussen nog even rusten. Ze zou ervoor zorgen dat ze over een uurtje bij hem was. En dan, beloofde ze zichzelf en hem, zal ik mijn best doen voor twee!

Toen ze haar auto op een gegeven moment startte en wegreed, bedacht ze vol goede hoop dat Rutger uiteindelijk alleen maar blij kon zijn dat zij het heft in eigen hand had genomen. Want als ze alles hadden uitgepraat, zou het tussen hen beter worden dan het ooit was geweest. Met een beetje geluk zou hun vriendschap dan kunnen omslaan in liefde! En over de troep in je huis hoef jij je geen zorgen te maken, bedacht ze glimlachend, want daar kijk ik heus wel doorheen!

Ze reed probleemloos naar de wijk waar ze zijn moest; straat en huisnummer zoeken kostte wat meer tijd. Moeite wordt altijd beloond en dus stopte ze weldra in een straat voor het huisnummer vierenveertig.

Ze stapte uit en liep op de voordeur toe. Terwijl ze op de bel drukte, bedacht ze met binnenpretjes dat Rutger raar op zijn neus zou kijken dat zij zo totaal onverwacht bij hem op de stoep stond!

Het was niet Rutger, maar Vera zelf, die vreemd opkeek toen de deur door een vrouwspersoon werd geopend. Vera schatte haar in de gauwigheid op een midden-dertiger. Ze had niet haar, maar Rutger verwacht en ietwat van haar stuk gebracht hakkelde ze van verlegenheid: „Ik uh... ik kom voor Rutger Mellema. Hij is toch wel thuis, hoop ik?"

De vrouw schudde haar hoofd. „Nee, Rutger is niet thuis; beter gezegd: hij woont hier allang niet meer!"

„O...? Neemt u me niet kwalijk, maar dan... Ja, dan weet ik het even niet meer," zei Vera met een nerveus lachje.

Ze maakte als groet een hoofdknikje. Ze had zich al half omgekeerd, toen ze de vrouw hoorde zeggen: „Het lijkt me voor jou verstandig als je even bij mij binnenkomt. Ik ben Rebecca, de ex-vrouw van Rutger Mellema! Ik wil een boekje over hem opendoen. Niet om hem zwart te maken, maar zuiver voor jouw bestwil." Ze wenkte Vera met een hoofdknik: „Kom maar!"

In de smalle gang staarde Vera de vrouw ontredderd aan. Dat scheen Rebecca te ontgaan, want zij stootte een cynisch lachje uit. „Waar ben ik deze keer aan gestorven? Was het een auto-ongeluk, een vliegramp of andermaal een enge ziekte?" Toen pas zag ze Vera's ontreddering en ze zei meewarig: „Sorry, ik zie dat ik je vreselijk laat schrikken. Je ziet zo bleek als een doek." Ze legde in een beschermend gebaar een arm om Vera's schouders en zo leidde ze haar naar de kamer, waar ze op een stoel wees: „Ga maar gauw zitten, je staat te trillen op je benen."

„Ik weet niet wat ik ervan denken moet..." zei Vera beteuterd. „Ik wist niet beter dan dat u gestorven was... En vanwege mijn verwarring ben ik vergeten me aan u voor te stellen." Ze stond op en gaf Rebecca een hand. „Ik ben Vera Dexter."

Rebecca glimlachte. „Jij weet inmiddels al wel hoe ik heet. Ik zou het echter prettig vinden als jij me gewoon Rebecca wilt noemen. Net als Rutger ben ik vijfendertig jaar; mag ik vragen hoe oud jij bent?"

Vera noemde haar leeftijd en liet er in één adem op volgen: „Rutger heeft tegen mij gezegd dat hij dertig was..."

„O, maar dat geloof ik graag! Hij ziet er inderdaad jonger uit dan hij is en daar maakt hij maar wat graag misbruik van. Hij past zijn leeftijd zo veel mogelijk aan bij die van een nieuw liefje dat hij in zijn netten hoopt te kunnen strikken. Rutger is niet alleen een geboren toneelspeler, maar ook een dwangmatige leugenaar. Wist je dat die hun eigen leugens geloven? Nou ja, dat is ook minder belangrijk. Je hebt overigens geluk dat je mij thuis trof! Ik heb een vrije dag; normaal gesproken moet ik op zaterdag werken. Ik ben verkoopster in een juwelierszaak. Dat zal jou echter op het moment matig interesseren en ik bedenk dat ik een potje thee voor je moet gaan zetten. Ik laat je even alleen."

Rebecca verliet het vertrek en in Vera's hoofd echode het: Een dwangmatige leugenaar...? Werd Victor Bijboer in het schrift van tante Emma niet ook zo genoemd...? Lieve deugd, wat is er dan nu weer gaande? Het was toch niet te bevatten dat zij opeens bij een vrouw was die volgens Rutger dood moest zijn...? Wat kreeg zij dan nu weer te horen en te verwerken? Was de openbaring van het schrift dan al niet meer dan voldoende geweest...?

Terwijl Rebecca in de keuken wachtte tot het water kookte, bedacht zij meewarig dat het eeuwig zonde was dat zo'n jong meisje in handen moest vallen van een niksnut als Rutger Mellema. Zij had de nodige mensenkennis waarmee ze durfde vast te stellen dat Vera een lief, zachtaardig meisje was. Een mooi meisje bovendien en dát was Rutger uiteraard niet ontgaan. Hier rees een vraag in haar op, die ze Vera stelde nadat ze een glas thee voor haar had neergezet. „Hoe heb jij Rutger eigenlijk ontmoet, of gaat dat mij niet aan?"

Vera vertelde over het wegrestaurant en dat Rutger toen bij haar aan het tafeltje was komen zitten. „Ik was onderweg naar mijn tante en Rutger moest naar Schiedam om een bezoek te brengen aan uw... ik bedoel jouw ouders. Een paar dagen later stond hij bij me voor de deur. Zo is het tot stand gekomen."

Rebecca knikte als begreep ze er alles van. Ze keek Vera recht aan toen ze zei: „Mijn ouders zijn rasechte Groningers en hebben nooit ergens anders gewoond dan hier, in deze stad. Het zotte verhaal over Schiedam is dus een van zijn vele leugens. Wat hij daar in werkelijkheid te zoeken had, zal voor jou en mij een raadsel blijven. De auto waar hij mee onderweg was, moet hij geleend of gehuurd hebben, want hij bezit alleen maar een fiets. Of wist je dat?"

Vera schudde ontkennend haar hoofd en aangeslagen zei ze zacht: „Het dringt hoe langer hoe meer tot me door dat ik niets van hem weet, dat ik hem van geen kanten ken. Ik kan me niet voorstellen dat jij met hem getrouwd bent geweest. Jij bent een aardig mens, terwijl Rutger..."

Rebecca onderbrak haar. „Ik ben twee jaar met hem getrouwd geweest en dat was precies twee jaar te lang. Toen ik erachter kwam dat hij er achter mijn rug om vriendinnen op na hield, heb ik het nog een poos bij hem vol weten te houden. In een poging te redden wat feitelijk al niet meer te redden viel, heb ik hem de kans gegeven zijn leven te beteren. Dat was ongelooflijk stom van me, want een man als Rutger is gewoon onverbeterlijk. Mede doordat Rutger zijn volle medewerking verleende, was de scheiding toentertijd snel een feit. Ik heb het zo kunnen regelen dat ik hier in dit huis kon blijven wonen en dat Rutger moest vertrekken. Naderhand hoorde ik via via dat hij toen enkele dagen een zwerversbestaan heeft geleid. En alweer van anderen weet ik dat hij tegenwoordig een hospita heeft bij wie hij een gemeubileerde kamer met gebruik van keuken huurt. Ik hoop voor haar dat Rutger bij haar geen huurschuld heeft opgebouwd; het zou me echter niet verbazen. Hij is gewend ver boven zijn stand te leven en met slechts een uitkering zal dat hem vroeg of laat wel opbreken. Hij was kelner, maar toen de zaak waar hij werkte, failliet ging en Rutger een uitkering kreeg, speet hem dat allerminst. Hij is liever lui dan moe en dat verklaart alles. Hij moet zich er maar mee redden; het is mijn pakkie-an gelukkig niet meer!"

Onder de indruk van het verhaal zei Vera beduusd: „Nu begrijp ik hoe het kwam dat hij zijn portemonnee vaker vergat dan bij zich droeg." Ze zond Rebecca een verloren blik toen ze erachteraan zei: „Ik voel me nu zo verschrikkelijk dom dat ik hem de hele tijd niet doorzag..."

„Ik ken hem als geen ander en vandaar dat ik gerust kan zeggen dat jou niets te verwijten valt. Jij viel op zijn knappe uiterlijk, op de charmeur die hij moeiteloos spelen kan. Jij was niet de eerste en je zult ook niet de laatste zijn die vol vertrouwen met hem van start gaat. Maar zodra Rutger is uitgekeken op de zoveelste 'liefde' in zijn leven, keert hij je zonder gewetensbezwaren de rug toe. Dat dat nu met jou het geval is, herken ik aan het feit dat hij jou mijn adres heeft gegeven. Het is zijn tactiek. Hij hoopt en verwacht dat jij, net als je voorgangsters deden, hem hier gaat opzoeken. Hoewel we al een paar jaar gescheiden zijn, probeert hij mij nog telkens een schop na te geven door zijn afgedankte liefjes op deze manier aan mij voor te stellen."

„Maar dat is walgelijk, onmenselijk wreed en gemeen..." fluisterde Vera onthutst. „Ik heb geen goed woord meer voor hem over. Het liefst zou ik hem nooit meer zien..."

„Je laat je thee koud worden," zei Rebecca. Ze praatte meteen verder: „Ik kan je garanderen dat je dáár wel gerust op kunt zijn! De verhalen van de andere, net als jij erg jonge meisjes kwamen allemaal op hetzelfde neer. Rutger kon even geen tijd voor hen vrijmaken. Hij moest of voor zaken op reis, of hij had het zo vreselijk druk gehad dat hij rust nodig had. In werkelijkheid waren dit soort smoesjes voor hem altijd een afscheid voorgoed."

„Dat klopt precies," zei Vera verbluft. „Hij heeft tegen mij gezegd dat hij het weekeinde nodig had om uit te rusten. Hij heeft mij de hele tijd zijn adres niet willen geven, tot mijn broer hem er in alle onschuld een keer naar vroeg. Toen had hij er opeens geen moeite mee. Nu dringt pas goed tot me door dat hij toen al wist dat hij het met mij voor gezien hield. Lieve deugd, maar zo ga je toch niet met mensen om!"

Daarop durfde Rebecca met stelligheid te beweren: „Mooie, jonge meisjes, zijn voor Rutger geen mensen, louter leuke speeltjes. Ik hoop dat jij niet zwanger van hem bent, want dat is helaas met een van je voorgangsters wel gebeurd."

Het deed Vera goed dat ze Rebecca kon geruststellen. „Zo ver is het gelukkig nooit gekomen."

Rebecca slaakte onhoorbaar een zucht van verlichting. En op haar vraag of Vera nog een glas thee lustte, zei die: „Nee, dank je wel. Ik ga naar huis. Ik moet alleen zijn om alles op een rijtje te kunnen zetten." Ze stond op en stak haar hand uit naar Rebecca: „Ik ben blij dat je me zo eerlijk over hem hebt verteld. Daar kan ik je niet genoeg voor bedanken. Ik hoop innig dat er niet nog een volgend slachtoffer van hem bij jou voor de deur zal staan. Dag... en nogmaals bedankt voor alles..."

Rebecca vond het bepaald niet gemakkelijk dat ze Vera een ernstige waarschuwing mee moest geven. „Ik hoop dat je begrijpt dat onze ontmoeting... eenmalig moet blijven?"

„O, maar natuurlijk!" Vera stak een hand op en Rebecca bleef in de deuropening staan tot zij wegreed. Toen haalde ze laconiek haar schouders op: Rutger Mellema kan nog zulke malle fratsen uithalen, maar míj kan hij er niet meer mee raken. Voor hem is mijn hart gevoelloos geworden, maar met jou heb ik te doen, arm meisje...

Thuis kroop Vera weg in een hoekje van de bank. Totaal van de kaart kon ze even niet anders dan een potje huilen. Om haar eigen domme gedrag, zoals ze het hardnekkig bleef noemen en om tal van andere dingen die ze in de gauwigheid van het moment niet helder benoemen kon. Pas toen ze de laatste tranen manhaftig had doorgeslikt, lukte het haar te bedenken dat zij onnoemelijk veel geluk had gehad. Ze had niet van Rutger kunnen houden. Was dat wel het geval geweest, dan had het er nu voor haar wellicht minder goed uitgezien...

Vera had er geen flauw idee van hoe lang of kort ze hier in gedachten mee bezig bleef. Op een gegeven moment drong het echter klaar en helder tot haar door dat God haar de hele tijd als een zorgzame Vader in bescherming had genomen. Waar had ze het aan te danken dat Hij zo goed voor haar was geweest? Nu hield deze zelfgestelde vraag haar geruime tijd bezig, totdat het was alsof ze door iets of iemand wakker werd geschud. Ze hoefde niet te huilen, maar voelde zich wel nietig klein toen ze besefte wat God precies met haar had gedaan. Hij had haar niet alleen maar beschermd, maar haar ook een wijze les geleerd...! Achteraf beschouwd was het geen toeval geweest. Het had zo moeten zijn dat er een man als Rutger Mellema opdoemde op haar pad. Zij had aan den lijve moeten ondervinden hoe gemakkelijk een mens van goede wil toch op kronkelige wegen kan belanden. Je bent een slet...

Waar had zij het lef vandaan gehaald om Hester daarvoor uit te maken? Je bent een slet... Maar wat was ervan haarzelf geworden als zij van Rutger was gaan houden zoals Hester dat door dik en dun van Victor Bijboer had gedaan? Die zelfgestelde vraag beantwoordde Vera met een hoofdknik: ja, ik had zonder het te willen zelf zo iemand kunnen worden. Omdat zij het zelf niet had kunnen inzien, had God haar laten ondervinden hoe snel je het rechte pad kon verlaten. Het deed pijn, door schuld en schaamte te moeten beseffen dat je een medemens niet klakkeloos mag veroordelen. Ze wreef driftig langs haar ogen en met een van tranen verstikte stem fluisterde ze: „Vergeef me alstublieft mijn slechte gedachten van toen jegens Hester... Ik verdien Uw goedheid niet, zij eens te meer."

Drie factoren – schuld, schaamte en verdriet – hielden Vera vast in hun greep en toen ze zich bovendien gevangen voelde in eenzaamheid, kon ze het niet meer aan en toetste ze het nummer in van Cas.

Hij wist niet hoe hij het had toen hij Vera hoorde zeggen: „Ik voel me zo verschrikkelijk ellendig. Kun je niet eventjes bij me komen? Of hebben jullie bezoek...?"

„Nee, ik ben alleen thuis. Andra is met haar moeder in de stad aan het winkelen. Wat is er, Vera? Ik meende een snikje in je stem te horen?"

„O, sorry, dat had ik juist voor je willen verbergen. Het is allemaal heel complex, ontzettend moeilijk. Ik kan het niet door de telefoon zeggen. Kom alsjeblieft, Cas...?"

„Rustig maar, ik ben bij wijze van spreken al onderweg. Houd je goed, tot zo dadelijk!"

Cas haastte zich en toen hij bij Vera arriveerde, had zij

zich dusdanig hersteld dat ze niet meer huilde. Er lag nog wel een verdacht trillinkje in haar stem. „Ik had je heel hard nodig, Cas... Bedankt dat je gekomen bent."

„Doe niet zo raar, mal wicht! Of ben je er nog steeds niet aan gewend dat je een broer hebt die niets liever wil dan er zijn voor zijn zusje wanneer zij het moeilijk heeft? Wat is er gebeurd? Heb ik onderweg naar hier goed aangevoeld dat het te maken heeft met Rutger Mellema?"

Vera knikte van ja. In de kamer zocht zij haar geliefde hoekje van de bank weer op; Cas liet zich tegenover haar in een stoel zakken. En op zijn advies: „Steek van wal, dan heb je het maar gehad," was Vera lang aan het woord. Ze vertelde over de verkoeling tussen Rutger en haar en hoe het gekomen was dat ze plotseling oog in oog had gestaan met met Rebecca. Vera herhaalde bijna woordelijk wat Rebecca haar allemaal had verteld. Ze besloot het lange relaas met de verzuchting: „Eén ding, voor mij het belangrijkste, is dat ik van Rebecca heb begrepen dat ik Rutger niet meer te zien zal krijgen. En hoe blij ik daar mee ben, is met geen pen te beschrijven!"

„Daar denk ik anders over!" gromde Cas. „Ik zou dat heerschap maar wat graag onder vier ogen willen spreken! Dan kreeg hij het nodige te horen, waarschijnlijk zelfs te voelen. Ik moet er niet aan denken waar hij jou in mee had kunnen sleuren. Is het al tot je doorgedrongen dat jij meteen in het allereerste begin naar mij had moeten luisteren? Ik heb je genoeg voor hem gewaarschuwd, maar eigenwijs als jij bent, had je er geen oren naar!"

Er trok een waas van raadselachtigheid over Vera's gezicht. „Ik mócht jouw raadgevingen van toen niet opvolgen. Want dan zou ik er een punt achter hebben gezet en was er een wijze levensles aan mij voorbijgegaan."

Cas bestudeerde haar gezicht voordat hij informeerde: „Ligt het aan mij dat ik je even niet kan volgen?"

Opnieuw onder de indruk zei Vera: „Ik heb het meegemaakt, Cas, hoe dicht God bij je kan zijn op de weg die jij gaan moet. Ik heb jou en Andra verteld over mijn bezoek aan Hester, maar ik heb toen iets voor je verzwegen wat je nu moet weten. Staande aan haar bed heb ik Hester uitgemaakt voor slet. Je bent een slet... Dat heb ik niet met woorden tegen haar gezegd, maar wel in gedachten. En dat is net zo erg, want ik meende het. Ik keek echt minachtend op haar neer. Daar werd ik voor op het matje geroepen en daarom moest ik aan den lijve ondervinden hoe gemakkelijk iets dergelijks ook jouzelf kan overkomen. Het geldt voor rijk en arm, oud en jong, dat je door toedoen van een ander zomaar de vernieling in kunt gaan. Ik schaam me nu diep voor God, maar ook voor Hester, dat ik haar zo afschuwelijk neerbuigend heb bejegend. Om het weer goed te maken ga ik binnenkort naar haar toe. Ik wil nu niets liever dan persoonlijk tegen haar zeggen dat het me spijt. Begrijp je wat ik bedoel, hoe ik het voel, Cas...?"

„Ja, dat is niet zo moeilijk. En alles wat eraan voorafging, al evenmin. Jij zei op een keer tegen mij dat je niet van Rutger hield, dat je hem alleen maar heel erg graag mocht. Toen wist ik al dat jij bij hem bleef uit angst dat je opnieuw alleen zou komen te staan. Heb ik het mis...?"

„Het speelde zeker een rol..." bekende Vera zacht. En ietwat verlegen voegde ze er aarzelend aan toe: „Ik heb jou en Andra meer dan eens over Dinand Kersten verteld. Omdat ik er voor mezelf niet meer aan hoef te twijfelen, kan ik nu tegen jou zeggen dat ik van Dinand houd. Hij houdt echter van een ander, met wie hij verder gaat zodra hij geen gewetenswroeging meer over zijn zoontje heeft. Hoe dat precies in elkaar steekt, vertel ik je nog wel eens. Ik moest mijn liefde voor Dinand kwijt zien te raken en ik hoopte dat me dat zou lukken als ik in Rutger meer zou gaan zien dan slechts een vriend. Ik deed mijn best om liefde voor Rutger in mijn hart toe te laten, maar dat lukte me niet. Dat ik voorgoed van hem verlost ben, is een grote opluchting;

dat Dinand voor mij onbereikbaar is... doet pijn."

„Ach, Vera, dit geworstel van jou laat mij niet onberoerd. Ik wil je zo dolgraag gelukkig zien. Je bent het echter van geen kanten. En ik sta er machteloos tegenover. Wil je van me geloven dat dat een rotgevoel is?'

Vera kon hem maar op één manier geruststellen en dat deed ze recht vanuit haar hart. „Ik sta er niet alleen voor en ook zonder Dinand zal ik me niet verloren hoeven te voelen. Die wetenschap werd me zomaar geboden. Je weet niet half hoeveel troost ik eruit put."

Daarop zei Cas bedachtzaam: „Ik denk dat het voor mij niet verkeerd zou zijn als ik jouw voorbeeld volgde. Want ik heb ook iets goed te maken. Na alles wat ik van jou hoorde, vrees ik dat God het mij niet in dank zal afnemen als ik Hester halsstarrig de rug blijf toekeren."

Vera staarde hem met ogen vol ongeloof aan. „Bedoel je dat je met me meegaat naar Hester...?"

Cas knikte nu zonder aarzelen van ja. „Als het mogelijk is waar tante Emma op hoopt en naar uitziet, mogen wij Hester de kans dat zij door ons uit haar coma ontwaakt, niet onthouden. Maar gemakkelijk lijkt het me niet, aan het bed te moeten staan van een vrouw die ons niet wilde..."

Vera sprak uit ervaring. „Ik kan je zeggen dat het onmenselijk moeilijk is. Maar toch... na mijn bezoek aan Rebecca ben ik tot het inzicht gekomen dat hindernissen er zijn om overwonnen te worden. En daar, Cas, krijgt een mens de nodige kracht voor!"

Hij glimlachte en zei vertederd: „Volgens mij ben jij in korte tijd niet alleen jaren ouder, maar vooral stukken wijzer geworden."

Vera was de ernst zelve toen ze antwoordde: „Dat is ook zo, maar dat is zeker geen eigen verdienste."

11

De eerstvolgende zaterdag waren Cas en Vera onderweg naar Rotterdam. Het was een lange reis, waar ze echter op voorbereid waren. Thuis hadden ze afgesproken dat ze de kwestie-Rutger Mellema onderweg onaangeroerd zouden laten. Dat die toch even opdoemde, kon Cas niet helpen. Hij wees op een gegeven moment in volle onschuld op een wegrestaurant. „Wat denk je, moeten wij langzamerhand niet een koffiestop inlassen?"

Vera wist niet hoe gauw ze moest zeggen: „Ja, maar verderop komen we nog een andere gelegenheid tegen. Daar, waar jij op wijst, heb ik Rutger voor het eerst ontmoet. Als wij er nu naar binnen gingen, zouden er herinneringen bij me boven komen die ik zo snel mogelijk wil vergeten."

„Zeer verstandig!" prees Cas. Een halfuurtje later zaten ze in een ander restaurant achter de koffie en vroeg Vera: „Je kon me er gisteren nog geen antwoord op geven, maar ben je er inmiddels achter wat we doen? Gaan we eerst samen naar tante Emma, of rijden we regelrecht door naar het verpleegtehuis?"

„Het laatste," zei Cas zeer beslist. „Ik heb er lang over na moeten denken, maar uiteindelijk ben ik tot het besluit gekomen dat ik haar liever niet dan wel wil ontmoeten. Ik hoop dat jij mijn standpunt kunt respecteren?"

„Tuurlijk! Ik had er al zo'n voorgevoel van. Daarom heb ik tante Emma niet gebeld. Zij weet dus niet dat wij onderweg zijn naar Hester en na het bezoek aan haar rijden wij meteen terug naar huis. Ik weet dat tante Emma door de week een paar keer naar Hester gaat en op zondag slaat ze nooit over. Volgens mijn berekening gaat ze niet of bijna nooit op zaterdag naar haar toe; daar moeten wij dus maar van uitgaan."

Niet lang hierna parkeerde Cas de auto opzij van het verpleegtehuis. Hij maakte zijn gordel los, maar voordat hij uitstapte, zei hij somber: „Ik weet niet hoe het jou vergaat, maar ik zie er verschrikkelijk tegen op. Ik heb nog nooit een mens in coma gezien en als je dan ook nog bedenkt wie zij is..."

„Het is inderdaad geen gemakkelijke opgave," beaamde Vera, „maar toch ben ik blij dat we gegaan zijn. Ik hoop tenminste dat ik hierna minder last zal hebben van gewetenswroeging..."

Cas zond haar een bemoedigende blik, die echter als sneeuw voor de zon verdween, toen hij zei: „Jij zult straks tegen haar moeten zeggen wie wij zijn. Ik vrees namelijk dat ik geen woord over mijn lippen zal kunnen krijgen. Of vraag ik nu te veel van je?"

Vera schokschouderde. „Tante Emma is er heilig van overtuigd dat Hester haar kan verstaan. Dat betwijfel ik ten zeerste en toch weet je het maar nooit. Ik kan zo dadelijk niet meer dan mijn best doen. Ga je mee...?"

Ze liepen schoorvoetend het kleine ziekenzaaltje binnen en toen ze voor het bed stonden, keken ze elkaar een moment hulpeloos aan. „Dit is niet om aan te zien, werkelijk verschrikkelijk," fluisterde Cas ontdaan. Vera voelde zich net als hij; niettemin nam zij de leiding. Ze boog zich over het bed en nadat ze een aarzeling had overwonnen, nam ze een hand van Hester in die van haar en keek ze in haar opengeslagen ogen. En heel zacht, voor Cas nauwelijks verstaanbaar, sprak ze haar toe. „Ik hoop dat je me kunt horen. Ik ben Vera, je dochter. Cas, je zoon, staat naast me. We zijn gekomen om tegen je te zeggen dat we jou niets kwalijk nemen. We hebben alleen maar medelijden met je. Dat geldt voor nu, maar... ook voor het leven dat jij eertijds hebt moeten leiden. Ik heb de afgelopen dagen veelvuldig voor je gebeden en dat zal ik blijven doen. Enne... het spijt me heel erg dat ik de vorige keer zo lelijk over je heb gedacht. Dag... Hester."

Het werd Vera te veel. Ze keerde zich om en tot haar verbazing keek ze toen recht in een haar bekend gezicht. „Tante Emma...?"

Zij kwam op het bed toe lopen en nadat ze Vera met een kus had begroet, zei ze bewogen: „Nergens op voorbereid kwam ik daarnet binnen en toen ik jullie zag staan, durfde ik mijn ogen nauwelijks te geloven. Ik ben op een afstand blijven staan kijken. Ik kon niet verstaan wat jij tegen Hester zei, maar dat je tegen haar praatte... ontroerde mij hevig." Hierna richtte ze zich tot Cas. „Ik heb jou niet eerder ontmoet, maar toch weet ik instinctief dat jij Cas bent. Dat jij ook gekomen bent, noem ik voor mezelf wonderbaarlijk. Hier had ik in mijn stoutste dromen niet op durven hopen. Ik bedank je ervoor...!" Ze snifte, wreef snel langs haar ogen en na een zuchtje verontschuldigde ze zich terwijl ze haar hand naar hem uitstak. „Vanwege de consternatie heb ik me niet aan jou voorgesteld. Maar je hebt vanzelfsprekend al begrepen dat ik... je tante ben?" Emma wist duidelijk niet goed raad met de situatie. Cas kreeg medelijden met haar en probeerde haar te hulp te schieten. „Het jongetje van toentertijd is groot geworden, nietwaar... tante Emma? De oorzaak ervan ligt bij de vervlogen jaren waar wij, voor eigen bestwil, liever zo min mogelijk op terug moeten kijken. Alles wat is geweest, kan niet worden teruggedraaid, maar wij moeten wel samen verder!"

Emma's ogen vulden zich met tranen, haar mondhoeken trilden. „Dat jij dat zegt... en je kijkt me zo lief aan. Ben je niet boos dan... dat ik jou almaar links heb laten liggen?"

„U zult er een reden voor hebben gehad," zei Cas bedachtzaam. „Ik wil dat u die voor uzelf houdt. Omdat die hoort bij de vervlogen jaren waar ik daarnet op doelde." Hij wees met een hoofdbeweging op Hester; zijn stem klonk schor van aandoening. „Zij is de enige van ons drieën die niets meer goed kan maken. Ze is werkelijk beklagenswaardig..."

Emma knikte en alsof ze zich erop betrapte dat ze Hester eventjes was vergeten, zo gehaast snelde ze op het bed toe. Cas en Vera zagen hoe Emma het bleke gezicht met haar beide handen omvatte en het behoedzaam kuste. Vervolgens luisterden ze naar haar gepraat. „Dag, lieverdje van me...! Hoe vind je het nou, dat allebei je kinderen bij je zijn? Dat doet je enorm goed, hè schat? Doe je best, Hester en probeer wakker te worden. Je weet toch dat dat mijn allerliefste wens is? Hester, toe dan...!" liet ze er gebiedend op volgen. De zieke reageerde niet; ze had haar hoofd afgewend, haar ogen gesloten. Het werd Vera te veel. „Niet doen, tante Emma," zei ze gesmoord, „u mag uzelf niet zo kwellen. Hester hoort en ziet u niet, daar moet u in leren berusten. Kom, we gaan naar buiten...!"

Emma weifelde. „Normaal blijf ik altijd veel langer bij haar. Meestal wel een paar uur. Maar als jullie weg willen, zal ik me er niet tegen verzetten, hoor." Nog eenmaal streelde en kuste ze Hester, dan volgde ze Vera en Cas, die al op de deur toe waren gelopen. In de lange gang groette Emma in het voorbijgaan een paar maal een verpleegster en elke keer verontschuldigde ze zich. „Ik heb geen tijd om een babbeltje te maken; zoals je ziet, heb ik bezoek!"

Buiten de deur van het gebouw richtte ze zich tot Cas. „Ik mag er toch op rekenen dat jullie met mij mee naar huis gaan?"

Hij lachte in haar ogen. „Het lag niet in de bedoeling; we waren van plan meteen terug te rijden. Niets is echter zo veranderlijk als een mens! Ik ben me namelijk gaan realiseren dat ik maar één tante heb. Hoe zou ik haar uitnodiging dan kunnen afslaan?"

Emma's ogen werden opnieuw nat en door de hevige emoties klonk haar stem omfloerst. „Wat ben jij een lieverd...! Als ik dit had geweten, had ik je jaren eerder willen leren kennen. Zou Hester echt niet hebben gemerkt dat jullie er waren? Ik heb het daar zo moeilijk mee, want volgens mij hoort zij te weten dat ze twee schatten van kinderen heeft. Toch...?" Bij dat laatste, niet meer dan een fluistering, keek ze beurtelings van Cas naar Vera. Die had niet in de gaten dat ze het over zichzelf had toen ze zacht zei: „Alles heeft een bedoeling, tante Emma, niets gebeurt zomaar. Ik zie dat u uit uw doen bent, kunt u zo wel rijden?"

Nu toverde Emma een dapper lachje te voorschijn. „Als ik jouw bezorgde vraag met nee zou moeten beantwoorden, zou ik een hekel aan mezelf moeten hebben. Ik heb er in mijn leven altijd voor opgepast dat ik vaste grond onder mijn voeten bleef voelen en dat blijf ik doen! Rijden jullie maar achter mij aan, dan kun je zelf zien dat jullie tante weliswaar haar zwakke kanten heeft, maar dat zij zich, als het erop aankomt, weet te weren!"

„Tante Emma is een apart, maar ontegenzeglijk een leuk mens," zei Cas toen ze achter Emma aan reden. „Ik heb er geen spijt van dat ik haar heb ontmoet."

„Ik heb jou ontzettend bewonderd," zei Vera. „In plaats van afstandelijk te doen kwam jij haar op alle fronten tegemoet. Dankzij jou werd het ijs tussen jullie spontaan gebroken. Ik heb het voorgevoel dat jij, net als ik, op een bepaalde manier van tante Emma gaat houden!"

„Wie weet, de wonderen zijn de wereld nog niet uit, wordt er altijd beweerd." Na een kort stilzwijgen praatte Cas verder. „Ik weet niet wat ik van Hester moet denken. Met de beste wil van de wereld kon ik haar niet als mijn moeder beschouwen en waarschijnlijk was dat de reden waarom ik haar niet kon aanraken. De vrouw die daar lag, was mij zó vreemd. Ik had alleen diep medelijden met haar."

„Ik denk dat dat in ons geval voldoende is," opperde Vera. „Want is medelijden goed beschouwd niet ook een vorm van vergeving? Als je iemand diep haat kun je tegelijkertijd immers geen medelijden met die persoon hebben."

Ze bleven met Hester bezig en voordat ze er erg in hadden, waren ze waar ze moesten zijn.

Emma had zich ondertussen weer helemaal hersteld. Ze deed meteen bedrijvig druk. „Ik ga allereerst koffie zetten en gelukkig heb ik er wat lekkers bij! Alsof ik aanvoelde dat er bezoek zou komen, heb ik gisteravond een appeltaart gebakken. Omdat ik me zat te vervelen en werk zocht, dacht ik toen. Maar zo was het achteraf mooi niet!"

Ze kregen elk een joekel van een punt voorgezet en terwijl ze daarvan smulden, zei Emma onverwacht tegen Vera: „Ik dacht, eerlijk gezegd, dat jij een beetje boos op me was! Je hebt me een enkele keer gebeld, maar je kwam almaar niet bij me op bezoek. Daar verbaasde Dinand zich ook over. Heb ik iets verkeerd gedaan of gezegd?"

Vera voelde zich aangesproken; ze bloosde ervan. In een flits bedacht ze dat tante Emma niet het naadje van de kous hoefde te weten en dat deed haar zeggen: „De laatste keer dat ik bij u was, heb ik u verteld over de man die in een wegrestaurant bij me kwam zitten. Nou, later hebben we opnieuw contact met elkaar gekregen. We dachten dat het misschien iets zou kunnen worden tussen ons, maar dat bleek een grote vergissing. Al met al was ik echter zo druk met hem bezig dat ik u erdoor verwaarloosde. Daar heb ik nu achteraf spijt van! Maar u noemde Dinand daarnet, hoe is het met hem...?"

„Tja, wat zal ik daarop zeggen," weifelde Emma. „Het kon beter, laten we het daar maar op houden."

„Nu maakt u me nieuwsgierig! Is Dinand soms ziek, gaan de zaken slecht?"

„Nee hoor, hij is zo gezond als een vis en hetzelfde kun je van zijn schoonmaakbedrijf zeggen. Hij heeft het er heel druk mee en dat is een goed teken. De problemen die hij heeft, liggen op een heel ander vlak. Je weet dat Dinand een zoontje heeft en dat hij het jochie veel te weinig te zien kreeg. Daar had Dinand al veel verdriet van en dat is onlangs vele malen verdubbeld. De vriend van Dinands exvrouw heeft familie die zowat aan de andere kant van de wereld woont. Met hulp van hen kon hij ginds een goede baan krijgen en nu zijn ze geëmigreerd naar Australië. Dinand heeft er uiteraard geen moeite mee dat Jolanda nu ver weg woont, maar dat geldt zeer zeker niet voor zijn zoontje Joep. Maar hij staat er machteloos tegenover. Het is intriest voor hem."

„Dat is het zeker," beaamde Vera. Ze wist niet wat ze hoorde, maar uit zelfbehoud durfde ze niet aan tante Emma te vragen of 'het liefste wezentje ter wereld' hem dan nu niet troostte.

Het zat Vera hoog, maar Emma had alweer iets anders aan haar hoofd. Ze richtte zich tot Cas. „Hoe staat het met jouw liefdesleven? Als ik het me goed herinner, heet ze Andra."

Cas lachte. „Uw geheugen laat u niet in de steek! Ja hoor, Andra en ik hebben het fijn samen. Ze woont al een hele tijd bij mij, maar omdat haar ouders het samenwonen van ons afkeuren, denken wij de laatste tijd aan trouwen."

Vera keek hem perplex aan. „En dat hoor ik nu pas!? Nou hoor, leuk is anders."

Cas schoot in de lach om haar verongelijkte gezicht. „Je kunt je lange teentjes maar beter wat intrekken, zusje van me! Het is namelijk zo dat ik hier ter plekke mijn mond voorbij zit te praten. Andra wil het geheim houden totdat wij een trouwdatum hebben geprikt. Uit respect voor Andra kon ik het dus niet tegen jou zeggen. Maar ik heb nu dus wel iets goed te maken met Andra, sufferd die ik ben." Cas schudde beschaamd zijn hoofd. Emma keek Vera indringend aan. „Heb jij niet ook iets goed te maken, Vera? Ik heb al gezegd dat Dinand niet snapte waarom jij almaar niet bij mij kwam, maar nu wil ik daaraan toevoegen dat hij zich over jou heeft beklaagd. Hij zei onlangs: „Voor mijn gevoel waren Vera en ik bevriend geraakt, maar daar vergis ik me dus lelijk in. Want anders had ze mij op z'n minst wel eens gebeld." En ik geef hem gelijk, want dat had jij inderdaad moeten doen."

Vera bloosde. „Nou ja... uh, het is erbij ingeschoten. Bij gelegenheid zal ik me daarvoor bij hem verontschuldigen."

Daarop bedisselde Emma: „Niks ervan, je moet het ijzer smeden als het heet is! Ik weet dat Dinand thuis is, dus wat let me om hem erbij te roepen. Dan kan hij meteen kennismaken met Cas; ik weet zeker dat hij dat leuk zal vinden!" Voordat iemand een mond open kon doen, repte ze zich naar de voordeur en drukte ze op de bel van de deur pal ernaast.

Dinand scheen het inderdaad een leuke geste te vinden, want hij kwam met uitgestoken handen en een blijde lach op Vera toe. Nadat hij haar een kus op beide wangen had gedrukt, zei hij bewogen: „Je weet niet half hoe goed dit weerzien me doet! Ik dacht namelijk dat ik je nooit meer zou zien!"

„Nooit is erg lang, hoor!" hielp Vera hem herinneren. Hierna stelde ze de beide mannen aan elkaar voor. „Ik heb al veel gehoord over de broer van Vera," zei Dinand lachend tegen Cas. „Het geeft me een goed gevoel jou te mogen ontmoeten!"

Cas grijnsde breed."Het genoegen is wederzijds!"

Emma voorzag Dinand van koffie en taart en toen ze er weer bij zat, zei ze geestdriftig: „Cas en Vera zijn samen bij Hester geweest! Het was voor mij een totale verrassing, maar ze hebben mij er verschrikkelijk gelukkig mee gemaakt!"

Dinand zocht en vond Vera's blik. „Ik vermoed dat het voor jou en Cas toch best moeilijk was."

Daarop zei Vera: „Cas zag haar voor het eerst en ja, dan is schrikken te zacht uitgedrukt. Maar jij hebt het ook allesbehalve gemakkelijk, heb ik van tante Emma gehoord. Jij hebt je zoontje verloren, want zo zul jij het aanvoelen..."

„Ja, ik ben Joep voorgoed kwijtgeraakt. Zo voelt het inderdaad, ook al heeft Jolanda me beloofd dat Joep, als zij naar Nederland komen om familie te bezoeken, die tijd bij mij mag zijn. Het contact is na Jolanda's emigratie verbeterd; ze houdt me stipt op de hoogte van Joep. Ook krijg ik hem regelmatig even aan de telefoon, maar in wezen komt het erop neer dat ik alleen Lot heb overgehouden," besloot hij. De waas van stil verdriet op zijn gezicht raakte Vera diep. Ze kon niet helpen dat ze zich afvroeg: waar is zij dan, nu jij haar zo nodig hebt, de vrouw waar jij al zo lang van houdt? Ze durfde er niet naar te vragen en het speet haar niet dat tante Emma haar stem liet horen. „Als gebruikelijk hebben Dinand en ik tussen de middag warm gegeten. Maar ik realiseer me opeens dat jij en Cas onderhand ook wel iets warms zullen lusten. Hoe los ik dit zo snel op, vraag ik me af."

Voordat Vera of Cas kon zeggen dat tante voor hen geen moeite hoefde te doen, kwam Dinand met een idee op de proppen. „Ik zou jullie op een etentje willen trakteren! Hier vlak om de hoek zit een Chinees; we kunnen er te voet heen."

Ze namen zijn uitnodiging graag aan, waarna Cas gehaast zei: „Ik moet allereerst Andra bellen. Dat had ik al veel eerder moeten doen, sufferd die ik ben!"

In eerste instantie reageerde Andra verbolgen. „Je had je mobieltje niet aanstaan! Ik heb je keer op keer tevergeefs proberen te bereiken. Je snap toch wel dat ik me ongerust zit te maken!" Maar nadat Cas haar had verteld over hun bezoek aan Hester en dat tante Emma plotseling achter hen had gestaan, toonde ze volop begrip. Het deed haar goed te horen dat Cas en Vera met haar mee naar huis waren gegaan en dat er over en weer geen spoor van rancune meer aanwezig was. Blij voor Cas zei ze goedhartig: „Ik red me wel, hoor lieverd. Wat dat betreft, mag je van mij ook morgenochtend terug komen. Eerlijk gezegd heb ik dat liever, want het is hier potdicht van de mist. Je kunt echt geen hand voor ogen zien en ik moet er niet aan denken dat jullie met dit weer die reis ondernemen. Of is er daar in Rotterdam niks mis met het weer?"

„Dat weet ik niet," zei Cas naar waarheid. „Toen we bij Hester vandaan kwamen, was er niks aan de hand, maar dat kan ondertussen veranderd zijn. Wacht even, dan ga ik poolshoogte nemen!" Hij liep naar de gang en terwijl hij de voordeur opentrok, praatte hij verder: „Het weer is hier geen haar beter; ik zie dat het een beklemmend klein wereldje is geworden! Ik moet even overleggen met Vera. Daarna bel ik jou terug. Dikke kus, tot zo dadelijk!"

Toen Cas weer in de kamer verscheen en zijn stoel opzocht, concludeerde Vera: „Jij liep zo gehaast de gang in omdat je van Andra op je kop kreeg! Ik kan me voorstellen dat ze boos was. Jij had haar de hele tijd op de hoogte moeten houden!"

Cas kon haar alleen maar gelijk geven en vervolgens vertelde hij: „In het begin blies ze even wat stoom af, maar na mijn uitleg over het hoe en waarom leefde ze met ons mee. Ik ging zopas buiten kijken om te zien hoe het weer hier bij ons is. Andra zei namelijk dat er in Groningen dichte mist hangt en dat is hier dus ook het geval! En vanwege het slechte weer kreeg ik van Andra het advies hier te overnachten. Ik voel er veel voor. Hoe denk jij erover?"

Vera trok een gezicht. „Ik vind het werkelijk doodeng om met mist onderweg te zijn! Jij zult gespannen achter het stuur zitten en ik zal naast jou doodsangsten uitstaan." Ze keerde zich naar Emma. „Als wij van u een nachtje mogen blijven logeren, zou u ons daar geweldig mee helpen."

„Je weet hoe graag ik jou bij me heb en dat geldt intussen ook voor Cas," zei Emma. „Maar ik heb maar één logeerbed, dat wordt dus moeilijk."

„Helemaal niet!" zei Cas, „ik slaap gewoon op de bank!"

„Dat wordt voor jou dan wel behelpen," oordeelde Emma. Ze trok een bedenkelijk gezicht. En die deed Dinand verontwaardigd zeggen: „Wat zitten jullie nou moeilijk te doen, terwijl er niets aan de hand is! Want waarom zou Cas in een ongelukkige houding op de bank moeten liggen terwijl hij bij mij in een gewoon bed kan slapen! Ik moet er eerlijkheidshalve bij zeggen dat er ook een portie eigenbelang meespeelt. Het lijkt mij namelijk beregezellig om straks bij mij samen met jou een borrel te drinken!" Hij keek verwachtingsvol naar Cas en die reageerde spontaan. „Je bent een kerel naar mijn hart; ik neem je aanbod met beide handen aan! Maar voordat we naar de Chinees gaan, ga ik eerst Andra bellen. Beloofd is beloofd!"

Niet lang hierna zaten ze genoeglijk achter een drankje te wachten op de gerechten die ze hadden besteld. Het deed Vera goed te zien dat het tussen Cas en Dinand bijzonder goed klikte. De mannen voerden onderling geanimeerde gesprekken. Over hun werk, de toestand in de wereld en op het politieke vlak bleken ze ook op één lijn te zitten. Vera volgde de gesprekken geboeid. Emma had er echter moeite mee dat zij haar mond zo lang moest houden. Op een gegeven moment richtte ze zich tot Vera. Die luisterde beleefd naar de verhalen die Emma afstak over haar oogappeltje Hester. En ze verzweeg wijselijk dat zij Hester niet meer zou durven veroordelen, maar dat zij haar nu ook weer niet, zoals tante Emma deed voorkomen, kon beschouwen als een lieveling. Want zo was het nu ook weer niet!

Ze zaten lang aan tafel en toen er als toetje voor ieder een sorbet werd geserveerd, keken ze elkaar bedenkelijk lachend aan: zou die er nog bij kunnen?

Weer thuis werd er moeiteloos nog een tijd volgepraat en gelachen. Dat ze de tijd opnieuw vergaten, besefte Vera toen zij zag dat Emma achter haar hand langdurig geeuwde. Dat duidelijke gebaar deed Vera be-slissen: „We moeten naar bed, jongens. Tante Emma heeft haar lampje uit!" Haar tegensputteren bleek nutteloos en zo vertrokken Cas en Dinand naar zijn huis en beklommen Emma en Vera de trap naar boven. Nadat zij elkaar met een kus goedenacht hadden gewenst, kroop Vera weg onder het dekbed, gehuld in een pyjamajasje van Emma dat haar vele maten te groot was.

Ondertussen had Dinand twee borrelglaasjes gevuld; de fles Berenburg zette hij naast zich op de grond. Nadat ze een tijdje over onbeduidende zaken hadden zitten kletsen, zei Cas: „Daarstraks werd er naar mijn smaak te snel over jouw besognes heen gepraat. Mocht je er behoefte aan hebben, dan kun je nu je hart uitstorten bij mij. Het is niet niks om je kind op een dergelijke manier te moeten verliezen. Dat het je hoog zit, is niet meer dan normaal."

„De slapeloze nachten die ik achter de rug heb, zijn niet meer te tellen," bekende Dinand. Hij schudde vertwijfeld zijn hoofd en ging verder. „Jolanda en ik, we waren ervan overtuigd dat wij samen oud zouden worden. Vol vertrouwen gingen we destijds van start. Het liep helaas anders dan verwacht, maar dat weet jij inmiddels. Ik waardeer het in Jolanda dat zij me op de hoogte houdt, wat onze zoon betreft. Verder heb ik met haar niets meer van doen. Joeps stem af en toe te horen doet me goed, maar het is voor mij te weinig. Ik wil hem bij me hebben, met hem spelen en ravotten, hem kunnen aanraken. Het allerliefste wat ik bezat is me afgenomen..."

„Ik heb verschrikkelijk met je te doen, maar daar schiet jij niets mee op."

„Daar vergis jij je in! Het doet juist goed te weten dat er mensen zijn die met je meeleven. Dat is iets anders dan medelijden, want dat verfoei ik! Het is niet anders, want ook zonder Joep zal ik, hoe dan ook, toch verder moeten. Ik ben mijn realiteitszin gelukkig niet verloren en die zegt mij keer op keer dat een kind beter zonder zijn vader dan zonder zijn moeder kan. Wat dat betreft, weet ik dat de gang van zaken voor Joep goed is. Maar dat neemt niet weg dat ik hem mis. Ik heb al eerder gezegd dat ik alleen Lot heb overgehouden en dat ik het dus met de aanhankelijkheid van een kat zal moeten doen. Het zal jou niet zijn ontgaan dat Lot de hele tijd op mijn schoot heeft gelegen."

Cas knikte bevestigend en kon niet nalaten op te merken: „Dat wat een dier je kan geven, is voor jou te weinig. Jij hebt de liefde van een vrouw nodig. Vera heeft me eens verteld dat jij van iemand hield. Hoe het precies in elkaar steekt, weet ik niet, maar Vera zei toen dat jij niet met haar verder kon en dat had alles te maken met je zoon?"

Er speelde een mat lachje om Dinands lippen. „Ik herinner me dat ik eens tegen Vera heb gezegd dat ik mijn hart verloren had. Aan het liefste wezentje ter wereld en dat is zij nog steeds voor mij. Omdat ik bang was dat het Joep zou afschrikken als er plots een andere vrouw in mijn leven zou zijn, durfde ik in die tijd mijn hart niet voor een nieuwe liefde open te zetten."

„Nu Joep spoorslags uit jouw leven is verdwenen, zul jij daar anders over denken, lijkt mij."

„Dat is zo, maar ja..." Dinand zweeg even voordat hij verderging. „Als ik daar op een begrijpelijke manier tekst en uitleg over geef, zal ik de naam van de vrouw in kwestie moeten noemen. Ik denk dat jij je oren niet zult geloven als ik zeg dat zij... Vera heet."

„Dat meen je niet!" Cas staarde Dinand een moment sprakeloos aan. Vervolgens verscheen er een gelukkige lach op zijn gezicht. „Je meende het wel en ik moet zeggen dat het mij als muziek in de oren klinkt! Want als ik persoonlijk een man voor mijn zusje zou mogen uitkiezen, zou ik jou zonder aarzelen aanwijzen! Maar ik hoef het niet voor haar te doen, Vera heeft geheel uit zichzelf haar hart al aan jou verloren. Wat zeg je daarvan, Dinand Kersten?"

„Je zit uit je nek te kletsen," kreeg Cas als antwoord op zijn vraag. „Je hebt dus toch medelijden met me en nu probeer je mij blij te maken met een dooie mus. Of... is het waar wat je zegt?"

„Het is de zuivere waarheid. Ik betrap me er nu echter wel op dat ik vandaag voor de tweede keer mijn mond voorbij heb gepraat en of Vera me dit in dank zal afnemen, vraag ik me af. Maar ja, ik zou haar ook zo graag gelukkig willen zien. Zeker na hetgeen zij heeft meegemaakt met die niksnut van een Rutger Mellema!"

Dinand schonk hun glazen nog eens vol. „Die naam zegt mij niets. Misschien kun je iets duidelijker zijn?"

Cas knikte en hierna was hij lang aan het woord. Bijna tot in de details vertelde hij Dinand over de absurde relatie tussen Vera en Rutger. Hij verzweeg niet dat Vera hoopte dat ze op den duur van Rutger zou gaan houden omdat dat voor haar de enige mogelijkheid was om hem, Dinand, te vergeten. Hij besloot het lange relaas met: „Jij kent onze voorgeschiedenis, is mij verteld. Dan zul je het met me eens zijn als ik zeg dat na alles wat Vera en ik te verstouwen kregen, dit haar bespaard had moeten blijven. Daar denkt Vera echter héél anders over! Maar de filosofie die zij er voor zichzelf over heeft ontwikkeld, heeft diepe indruk op mij gemaakt, moet ik zeggen. Daar ga ik verder niet op in; dat zal Vera je zelf moeten vertellen. En kijk me nu niet zo schaapachtig aan, want je snapt best dat jij en Vera binnenkort veel te bepraten zullen hebben. Daar zal ik buiten staan. Ik wil je nu echter al wel op het hart drukken dat jij haar moet geven wat zij verdient!"

„Dat is liefde met een hoofdletter..." zei Dinand schorrig.

De hoopvolle lach die zijn lippen deed krullen, weerkaatste in zijn ogen.

Emma en Vera zaten de volgende ochtend aan de ontbijttafel te wachten op Cas. Toen hij op een gegeven moment verscheen, verontschuldigde hij zich: „Sorry dat ik jullie liet wachten, maar ik moest eerst Andra bellen om te vragen hoe het in Groningen is. Gelukkig trekt daar de mist zienderogen op, maar dat is hier jammer genoeg nog niet het geval! We zullen dus nog even geduld moeten hebben."

„Het is niet anders," vond Vera berustend. Emma zei met

een schalks lachje: „Dat de mist hier kennelijk hardnekkiger is dan in het noorden, betekent dat ik jullie nog een poosje om me heen zal hebben. Kijk en dat spijt mij allerminst!"

„U bent een lieverd," zei Vera welgemeend warm. Op dat moment deed Cas het voorkomen alsof hem iets te binnen schoot. Zonder een spier in zijn gezicht te vertrekken jokte hij tegen Vera: „O ja, voor ik het vergeet, moet ik een boodschap aan jou overbrengen! Toen ik daarnet afscheid nam van Dinand, vroeg hij of jij, voordat we vertrekken, even bij hem binnen wilde wippen. Hij moet je iets laten zien, of iets aan je zeggen, het precieze ervan is me ontgaan."

Vera keek hem verwonderd aan. „O? Je hebt me nieuwsgierig gemaakt. Na het ontbijt zal ik naar hem toe gaan." Wat wil hij me laten zien, vroeg ze zich af, foto's van Joep wellicht? Ik hoop, flitste het door haar heen, dat ik mezelf niet zal verraden als ik zo dadelijk alleen ben met hem. Een onbeantwoorde liefde, zou er iets ergers kunnen bestaan?

Na het ontbijt ging Vera naar boven om zich een beetje op te tutten; weer beneden zei ze: „Nou, dan ga ik nu even naar de buurman. Ik ben benieuwd!"

Emma maakte een goedkeurend hoofdknik. Met bij voorbaat binnenpretjes bedacht Cas: het spijt me niet dat ik mijn mond gisteravond weer eens voorbij heb gepraat! Ik ben benieuwd naar het geluk dat straks in jouw ogen te lezen zal zijn.

Niets vermoedend belde Vera bij Dinand aan en toen hij opendeed zei hij verrast: „Dát vind ik aardig van je, dat je niet met stille trom vertrekt, maar afscheid komt nemen." Zij hielp hem herinneren: „Ik ben door Cas gestuurd; hij zei dat jij me iets moest laten zien of zo?"

Ogenblikkelijk ging er bij Dinand een lichtje branden dat hem deed meespelen. „Ja, dat is zo, kom maar gauw mee naar de kamer!" En daar, terwijl ze tegenover elkaar stonden, keek hij haar diep in de ogen. „Je broer en ik hebben gisteravond tot laat in de nacht zitten te praten. Op een goed

moment vertelde Cas mij iets waar ik overgelukkig mee ben, want sindsdien zingt mijn hart voortdurend. En daarom kan ik tegen jou alleen maar zeggen: Ik ook van jou..."
Voordat Vera zich realiseerde wat er gebeurde, pakte Dinand met beide handen haar gezicht en kuste hij haar vol op haar mond. Daarna vroeg hij aangeslagen: „Is het waar, Vera, houd jij van mij zoals ik van jou...?"

Haar mooie groene ogen vulden zich met tranen, haar stem trilde van ingehouden emoties. „Ik heb ertegen gevochten, maar dat hielp niet. Dwars door alles heen ging ik almaar meer van jou houden. Droom ik niet... is het echt waar dat ik nu heel gewoon veel om jou mag geven...?"

Dinand nam haar mee naar de bank en met een arm vast om haar heen zei hij: „Ik heb ook het gevoel dat ik droom, maar dat is gelukkig slechts schijn. Ik ben zo blij, dankbaar moet ik zeggen, dat Cas het me heeft verteld! Want na alles wat ik van hem hoorde over ene Rutger Mellema, drong het tot mij door dat ik er moet zijn om op jou te passen. Je bent nog zo jong, té jong om het in je eentje te redden. Voortaan behoed ik jou voor al het kwade buitengebeuren!"

„Je bent zo lief..." fluisterde Vera ontroerd en zonder remmingen sloeg ze haar armen om zijn nek en kuste ze hem zoals alleen een vrouw dat kan die onvoorwaardelijk liefheeft. Ze was ernstig toen ze zei: „Ik heb geen spijt van de affaire-Rutger Mellema. Het moest zo zijn, het was mijn straf, waar ik onnoemelijk veel van heb geleerd. Dat vertel ik je een andere keer uitvoeriger. Rutgers naam mag op dit kostbare moment niet aan de orde zijn. Wanneer wist jij dat je van mij hield? Ik heb de hele tijd gedacht dat jij je hart aan iemand anders had verloren...."

Dinand trok haar opnieuw dicht tegen zich aan. „Het was mijn schuld dat jij je vastklampte aan een waanidee. Had ik toen maar open en eerlijk gezegd dat jij het was, dan hadden wij veel eerder gelukkig met elkaar kunnen zijn. Maar ja... in die tijd was ik bang Joep te zullen verliezen. Het hoe en waarom heb ik je toen verteld."

„Die angst van jou was niet ongegrond,. Het doet me veel, Dinand, dat jij hem nu op een heel andere manier, toch bent kwijtgeraakt. Laat het een troost voor je zijn dat jij je verdrietige hart nu niet meer bij Lot hoeft uit te storten, maar dat ik er voortaan voor je zal zijn."

Daarop zei Dinand quasi zielig: „Zodra de mist is opgetrokken, stap jij bij Cas in de auto en laat je mij alleen. Met Lot!" Ze schoten allebei in de lach toen de poes op hetzelfde moment met een sierlijke sprong op Vera's schoot landde. Zij aaide het katje en ondertussen deed ze Dinand een belofte. „Je weet dat ik terug moet naar huis, maar ik kom het volgende weekeinde terug! Je kunt trouwens ook naar mij toe komen. Het doet er niet toe welke afspraken we maken, het gaat erom dat we samen kunnen zijn. Het geeft me een goed gevoel, het maakt me warm. Al kan ik het nog nauwelijks bevatten dat jij ook van mij houdt. Ik voelde me zo vreselijk vaak alleen en eenzaam, maar dat rotgevoel is jou ook niet onbekend, neem ik aan...?"

Dinand kuste haar hartstochtelijk en verwoordde daarna gesmoord wat er in hem opkwam. „Wil je met me trouwen, Vera?"

Zij schrok van zijn voortvarendheid; desondanks begreep ze wat hij ermee bedoelde. „Ben jij zo eenzaam dat je het niet lang meer op deze manier kunt volhouden...?" Voordat Dinand zijn mond open kon doen, voegde ze er in één adem aan toe: „Wij zijn twee eenzame zielen, maar dat wil niet zeggen dat we dan nu maar gelijk in het huwelijksbootje moeten springen. Dat kan en wil ik niet. Je zou het misschien niet aan me zeggen, maar wat dat betreft, ben ik echt uiterst voorzichtig!"

„Het was maar een grapje," zei Dinand lachend, maar Vera sneerde in volle ernst: „Nu zit je pas goed te liegen!"

Doordat ze niet uitgepraat en uitgekust raakten, vergaten

ze de tijd. Ze werden eraan herinnerd doordat Cas op het raam klopte, naar de lucht wees en riep: „De mist is opgetrokken, we moeten er nu echt vandoor, Vera!"

Hoewel zij duizendmaal liever bij Dinand was gebleven, moest ze Cas gelijk geven en kort daarna schoof ze naast hem in de auto. Cas had Emma intussen van het goede nieuws op de hoogte gesteld en toen Cas de auto startte en Vera door het opengedraaide portierraam warm blozend tegen Dinand zei: „Tot het volgende weekeinde. Enne... ik houd van je!" vroeg Emma zich af waarom dit goede tussen twee mensen niet voor haar was weggelegd. Ik mag dan oud zijn, bedacht ze, maar leeftijd heeft niets te maken met gevoelens. Die van mij zijn tenminste nog net als vroeger, toen ik jong was en ik ook hunkerde naar een beschermende arm om me heen. Ze moest er inwendig om lachen toen Dinand op dat moment een arm om haar middel sloeg en zo met haar naar binnen liep. Een mens kan niet alles hebben, schoot het toen door Emma heen; soms moet je gewoon tevreden zijn met nep.

12

Andra hoefde geen kalender te raadplegen. Ze wist natuurlijk dat Cas en zij vandaag precies een jaar getrouwd waren. Het was een geweldige mooie dag geweest, die nog altijd in haar geheugen gegrift stond, maar die een beetje in het niet viel bij de dag, drie maanden later, toen ze wist dat ze zwanger was. Daarmee werd een fel begeerde wens van hen beiden vervuld en niet eerder had zij zich zo overweldigend gelukkig gevoeld. De maanden die zij toen nog te gaan had, hadden wegens ongeduld, vreselijk lang geduurd. Achteraf was het meegevallen, want nu was ze al uitgeteld; de baby kon elke dag geboren worden. Ze keken er vol verlangen naar uit. Cas was uiterst bezorgd om haar en dat was ook de reden dat hij vanochtend, voordat hij naar kantoor ging, niet aan hun trouwdag had gedacht. De spanning van de komst van de baby schoof bij Cas al het andere naar de achtergrond. Lieve Cas, wat zou hij binnenkort een trotse, maar vooral een goede vader zijn. En wat te denken van haar ouders! Meteen in het begin van haar zwangerschap had mam aangeboden dat zij maar wat graag als oppas zou willen fungeren. Cas en zij hadden haar moeten teleurstellen, want zij hadden samen besloten dat Andra na de bevalling zou stoppen met werken. Ze had haar ontslag al aangezegd en hoewel ze wist dat ze haar collega's zou missen, had ze er geen spijt van. Ze vond het vrij logisch en Cas dacht er net zo over, dat je, als je dolgraag een kind wilde, er dan ook zelf voor zorgde. Later, als het groter werd, zag ze wel weer; nu wilde ze er helemaal kunnen zijn voor het kleine hummeltje dat haar als moeder nodig had.

Zonder het zelf te beseffen legde Andra haar handen in een beschermend gebaar om haar buik. Ze bedacht, terugkijkend, dat een heel jaar verbazingwekkend snel voorbij kon gaan. Er speelde een gelukkig lachje om haar mond toen ze zich realiseerde dat er in die vervlogen maanden ontzettend veel goeds tot stand was gekomen. Het deed haar nog altijd enorm goed dat ze Eiko, een tijd geleden alweer, in de stad was tegengekomen. Zij was toen vijf maanden zwanger geweest en Eiko had haar er spontaan mee gefeliciteerd. Hij had gelachen toen hij zei: „Jij moet nog moeder worden, maar ik mag me al vader noemen!" Vervolgens had hij verteld dat hij samenwoonde met een vrouw die uit haar eerste huwelijk een dochtertje had. Volgens Eiko was het een schat van een kind, dat hem vanaf het prille begin pappa noemde. Haar eigen vader was gestorven toen zij nog maar een baby was en omdat een kind wil hebben wat het nodig heeft om niet bij leeftijdgenootjes uit de toon te vallen, werd Eiko zonder moeite haar nieuwe pappa. Het had haar meer dan goed gedaan te mogen zien en horen dat Eiko het geluk ook had mogen vinden. Vlak voordat ze hun eigen weg weer vervolgden, had Eiko ernstig opgemerkt: „En zo zie je maar weer, Andra, dat alles is voorbestemd. Jij moest gelukkig geworden met Cas en ik met mijn Laura."

In gedachten verzonken oordeelde Andra dat Eiko daar volkomen gelijk in had. Ze hoefde daarbij slechts aan Vera en Dinand te denken, twee tortelduifjes die het niet meer zonder elkaar konden stellen. Vera had er nog met geen woord over gerept, maar niettemin vermoedden zij en Cas dat het niet meer lang zou duren voordat die twee elkaar het ja-woord zouden geven. Vera had meer dan eens laten blijken dat zij ook naar een baby verlangde. „Ik ben niet jaloers op jou," had ze onlangs gezegd, „maar dat neemt niet weg dat ik ook zo vol trots met een dikke buik zou willen rondlopen." Vera en Dinand zijn eraan toe, wist Andra voor zichzelf, want onlangs had Dinand zich bij Cas beklaagd. „Kun jij Vera er niet toe bewegen dat ze haar huis verkoopt en voorgoed bij mij komt wonen? Ik krijg er genoeg van elk weekeinde de reis naar Groningen te moeten maken." Nou was dat niet helemaal waar, bedacht Andra, want na haar werk vertrok Vera op vrijdagavond ook regelmatig naar Rotterdam en dan kon Dinand gewoon thuisblijven. Zij kon erover meepraten dat het een hele afstand was, want die had zij inmiddels een paar keer afgelegd. Als Cas het nodig vond om een bezoek aan tante Emma te brengen, ging zij uiteraard met hem mee. En zo had zij ook een keer naast Cas aan het bed van Hester gestaan. In haar toestand kwam geen verandering. Ze ging niet vooruit, maar ook niet achteruit. Ze lag daar maar te liggen, meestal met wijdopengesperde ogen. Zij vond het vreselijk, ze noemde het mensonterend en ze had nauwelijks naar de vrouw in dat smalle bed kunnen kijken. En tante Emma, de goeierd, bleef maar hopen dat Hester op een dag uit haar coma zou ontwaken. Hier onderbrak Andra haar gemijmer en besloot ze een beetje aan de slag te gaan. Cas had haar vanochtend voor de zoveelste keer in korte tijd op het hart gedrukt dat zij het kalm aan moest doen. „Laat alles wat gedaan moet worden, maar gewoon liggen; ik doe het vanavond met liefde voor je. Jij mag je niet vermoeien!" Ja, het is goed, hoor! Ik ben alleen maar hoogzwanger, niet ziek, zwak of misselijk. Omdat het stofzuigen haar zwaar viel, liet ze die klus aan Cas over. Maar ze kon heus nog wel stof afnemen en aan het toilet moest ze ook nodig iets doen. En wat lette haar het kleine beetje strijkgoed dat er lag, weg te werken? Het was toch alleen maar gezellig voor Cas als hij vanavond niets anders hoefde te doen dan lekker lui zijn benen te strekken.

Een uurtje later had Andra diverse klusjes geklaard. Ze voelde zich goed en besloot de strijkplank tevoorschijn te halen. Terwijl ze het ding vol goede moed openklapte, voelde ze plotseling een hevige pijnscheut in haar onderbuik. Toen die even snel verdween als hij gekomen was, stelde ze zichzelf gerust: zie je wel, er is niks aan de hand. Het kan ook helemaal niet, zo volkomen onverwacht. Dat het wel degelijk mogelijk was, besefte ze toen ze kort hierna met een van pijn verkrampt gezicht haar handen opnieuw op haar buik legde. Nu aarzelde ze niet, maar belde ze Cas. Hij was in een mum van tijd bij haar en vervolgens bracht hij haar in ijltempo naar het ziekenhuis. Onderweg daarnaartoe belde Cas zijn schoonmoeder om te zeggen dat het zo ver was. Saskia's reactie was zo menselijk als wat: „We waren erop voorbereid, maar wonderlijk genoeg schrik ik er nu toch van. Geef Andra een dikke kus van me; ik wens haar moed en sterkte. En Cas, bel alsjeblieft zodra het kindje er is!"

Cas beloofde dat zeker te zullen doen. „En dan hoor je meteen wanneer jullie je kleinkind mogen komen bewonderen! En je weet dat Andra morgen weer naar huis mag en dat wij dan op jou rekenen, nietwaar?"

„Jullie zien me morgenochtend in alle vroegte verschijnen! Ik mag geen oppas-oma worden, maar dat ik de komende dagen de taak van een gediplomeerde kraamverzorgster mag overnemen, maakt veel goed!"

Er volgden spannende uren, maar op een goed moment werd Andra geprezen: „Je hebt je kranig geweerd, mijn compliment!"

Andra wierp de vrouwelijke arts een misprijzende blik toe, die ze met woorden onderstreepte. „Het is niet waar wat u zei! Of bent u een beetje doof en hebt niet gehoord dat ik heb liggen gillen van de pijn."

Als antwoord kreeg Andra een glimlach toegezonden. Toen alles achter de rug was en moeder en kind goed verzorgd waren, werden de prille ouders op het eenpersoonszaaltje alleen gelaten. Andra wees op de baby in de holte van haar arm en fluisterde ontroerd: „Kijk dan, Cas, is het niet een wondermooi jongetje...?"

Hij boog zich eerst over Andra en kuste haar behoedzaam. „Jij bent voor mij een wonder," zei hij bewogen. „Dank je wel, lieveling, voor dit lieve, kleine jongetje. Mijn zoon..." Met één vinger streelde hij een perzikzacht wangetje en vervolgens staarde hij minuten lang naar het kleine gezichtje. Toen zijn ogen zich plotseling met tranen vulden, die vervolgens over zijn wangen biggelden, fluisterde Andra geschrokken en nietbegrijpend: „Toe, Cas, niet huilen. Daar heb je immers geen reden toe. Alles is toch goed en mooi?"

Cas deed vergeefse moeite om zijn tranen te bedwingen en zei aangeslagen: „Sorry, maar ik kan er niks aan doen. Alles komt opeens bij me boven. Voor mijn geestesoog verscheen het beeld van mezelf... Eens was ik even klein, weerloos en hulpeloos. Maar ik werd afgedankt als 'het jongetje'... Ik begrijp niet waarom ik de pijn ervan nu pas zo voel," liet hij er vertwijfeld op volgen. Andra legde troostend een hand op die van hem en zacht zei ze: „Het is heel begrijpelijk, lieve schat, dat jij het te kwaad kreeg bij het zien van je eigen kleine jongetje. Jij hebt het al die lange jaren moedwillig verdrongen; nu komt alles op een traumatische manier bij je boven. Het ís ook niet te bevatten dat een moeder haar bloedeigen kind weggeeft. Maar voor je eigen bestwil moet jij denken aan de mensen die zich met liefde en goede zorgen over jou hebben ontfermd. Of kraam ik nu alleen stom geleuter uit...?"

De hulpeloze blik waarmee ze hem aankeek, deed Cas zeggen: „Nee, schatje, niet jij, maar ik moet me schamen. Daarnet verloor ik mezelf eventjes, maar ik sta alweer stevig met beide benen op de grond. Het is waar wat jij zei: ik had me geen betere ouders kunnen wensen. We hebben ons kind toch ook niet voor niets vernoemd naar de man die zich als een liefhebbende vader jegens mij gedroeg? Ivo..." Cas liet de naam smelten op zijn tong en na een diepe zucht nam hij de baby van Andra over. Hij kon het met de beste wil van de wereld niet verhelpen dat er opnieuw tranen in zijn ogen sprongen toen hij tegen het kindje in zijn armen praatte: „Ivo Sieverts, knoop in je kleine oortjes dat jij door ons méér dan gewenst bent... Ik zal je beschermen en met heel mijn hart liefhebben. Je bent zó welkom, mijn kleine manneke." Toen hij het pasgeboren mensenkindje voorzichtig bij Andra teruglegde, veegde hij in een beschaamd gebaar langs zijn ogen. „Niet eerder heb ik geweten dat ik zo weekhartig kon zijn. Het komt allemaal door wat jij me gegeven hebt. Een prachtige zoon, waar we niet dankbaar genoeg voor kunnen zijn. Zeg je tegen niemand dat ik als een zachtgekookt eitje heb staan janken...?" liet hij er met een verontschuldigend lachje op volgen.

Vanzelfsprekend gaf Andra hem haar belofte. Ze kon niet nalaten erbij te zeggen: „Bij de geboorte van ons eerste kind heb ik een blik mogen werpen in het hart van een uiterst gevoelige man. En omdat jij je niet stoerder voordeed dan je bent, houd ik zo mogelijk nog meer van je."

Cas gaf haar een zoen, waarna hij haar diep in de ogen keek. „Jij had het over ons eerste kind? Maar na de pijn die jij daarstraks geleden hebt, kun je toch onmogelijk al aan een tweede denken?"

„De pijn was inderdaad hevig, bijna niet te harden, maar ik werd er ruimschoots voor beloond. O ja, ik meende het zeer zeker dat ik Ivo over gepaste tijd een broertje of zusje toewens!"

„Ik heb het daarstraks al gezegd en ik moet het herhalen dat jij werkelijk een klein wondertje bent. En nu laat ik je alleen, want de bevalling is je niet in de kouwe kleren gaan zitten. Je ziet er moe uit; je hebt je rust nodig! Vanavond kom ik terug en dan zullen je ouders ook aanwezig zijn. Denk je niet?"

„Ik hoop het. Ik ben vreselijk benieuwd hoe pap en mam op hun kleinzoon zullen reageren. Zij zijn opeens opa en oma, leuk hè, Cas?" Hij kuste haar en toen hij op de deur toe liep, hielp Andra hem herinneren: „Je moet Vera en Dinand nog van Ivo's geboorte op de hoogte stellen; niet vergeten, hoor!"

Cas was nauwelijks vertrokken, toen er een verpleegkundige binnenkwam die Ivo zonder pardon bij Andra wegnam en haar sommeerde: „En nu ga jij een poos slapen, in ieder geval rusten!"

Dat de bevalling het nodige van Andra had gevergd, bleek toen wel, want toen ze alleen werd gelaten, viel ze binnen de kortste keren in slaap. Het prille moedertje had er zelf geen idee van dat er een lieve lach van puur geluk om haar mond speelde.

Zoals beloofd stapte Cas die avond tijdens het bezoekuur het zaaltje weer binnen en in zijn kielzog volgden niet alleen Saskia en Olav, maar ook Vera. Aanvankelijk hield zij zich op de achtergrond en gunde ze de grootouders alle tijd en ruimte om hun kleinkind te bewonderen. Saskia kon haar ogen niet droog houden en ook Olav had een brok in zijn keel toen hij hoofdschuddend zei: „Een geboorte is sowieso een wonder op zich, maar als je eigen dochter opeens moeder is geworden, voel je je als grote kerel klein worden."

Saskia stond inmiddels als een trotse oma met Ivo in haar armen. Ze kon haar ogen niet van het kindje afhouden en praatte er onophoudelijk tegen. Vera nam de gelegenheid waar om Andra en Cas te feliciteren, waarna ze zei: „Dinand komt in het weekeinde, maar dat hadden jullie al wel uit jezelf begrepen." Ze liep op Saskia toe om de baby te bewonderen en toen Saskia gulhartig zei: „Je mag hem gerust even vasthouden, hoor!" nam Vera het kleine hoopje mens van haar over. „Hij is werkelijk prachtig," zei ze ontroerd, „er mankeert niets aan; het is een perfect jongetje." Met de baby in haar armen liep ze op Cas toe, die een beetje achteraf stond en alleen verstaanbaar voor hem fluisterde ze: „Dit kleine jongetje is door jullie zeer gewenst; bovendien wordt hij door elk van ons bijzonder welkom geheten. Begrijp je wat ik bedoel...?"

Cas knikte en even zacht als zij daarnet zei hij: „Jij en ik, wij weten wat het is om niet-gewenst ter wereld te komen.

Omdat jij voelt wat ik voel, durf ik tegenover jou wel te bekennen dat ik daar vandaag voor het eerst van mijn leven om heb gehuild. Het is schandalig; ik schaamde me voor Andra. Ondertussen voel ik de vaste grond weer onder mijn voeten en kan ik de dingen weer relativeren. Want het is toch zo dat wij, ondanks een foute start, niets te klagen hebben gehad. Wij hebben alle reden om dankbaar te zijn. Ben je dat met me eens?"

Vera knikte. „Jawel, maar toch.."

„Ja, maar toch..." beaamde Cas. De veelzeggende blik in hun beider ogen wees naar het verleden dat zich toch telkens weer manifesteerde.

De kleine Ivo was vandaag een maand oud en hij had aller harten al weten te stelen. Deze vrijdagavond liet Vera aan Dinand merken dat het ventje bij haar een uiterst gevoelige snaar had geraakt. Ze was naar Rotterdam gekomen om het weekeinde bij Dinand door te brengen. Geen opzienbarend nieuws; dat gebeurde immers regelmatig. En toch keek Dinand haar deze keer na hun begroeting verbaasd vragend aan. „Wat sta je nou raar te treuzelen en rond te kijken? Waarom loop je niet net als anders meteen door naar de kamer omdat je trek hebt in koffie?"

In Vera's ogen twinkelden pretlichtjes. „Ja, uh... ik heb eerst jou hulp even nodig. Mijn auto zit namelijk barstens vol spullen die ik alvast mee heb genomen naar wat binnenkort mijn nieuwe thuis wordt. Pik je op wat ik je duidelijk probeer te maken?" Haar ogen lachten en werden eens zo groot. Dinand moest naar adem happen voordat hij uit de grond van zijn hart verzuchtte: „Nou, eindelijk dan! Ik was al bang dat ik genoegen zou moeten nemen met een lat-relatie, maar dit past me beter!" Hij omhelsde en kuste haar, waarna hij bedisselde: „Je auto laad ik zo dadelijk uit, ik moet eerst weten hoe jij hier zo plotseling toe gekomen bent."

In de kamer trok hij haar naast zich op de bank en luisterde naar Vera's uitleg. „Het is allemaal de schuld van Ivo. Tijdens Andra's zwangerschap was ik de hele tijd al een beetje jaloers op haar en toen zij en Cas zo'n prachtige zoon kregen, wilde ik niets liever dan van jou een liefdesbaby. Wil je met me trouwen, Dinand Kersten...?"

Hij trok quasi een weifelend gezicht. „Tja, daar zal ik toch eerst over na moeten denken! Liever gisteren dan vandaag!" liet hij er meteen op volgen. „Ach, schatje, wat maak je me hier blij mee! Ik dacht heus dat het er voorlopig niet van zou komen. Als reden bedacht ik dat het jou moeite kostte uit je geliefde stad Groningen te moeten vertrekken. En dat doe jij nu met pijn in het hart. Zit ik er ver naast?"

„Nee, ik zal het missen dat ik niet zomaar meer even bij Cas en Andra binnen kan wippen. En zo zou ik nog veel meer kunnen opsommen dat voor mij belangrijk was. Ik heb er dan ook lang over na moeten denken, maar aldoende ben ik wel tot de conclusie gekomen dat ik er veel voor terugkrijg! In de eerste plaats de liefste man die een vrouw zich wensen kan. En niet minder belangrijk is de allersoverheersende hoop in mij dat ik van hem een kindje mag krijgen. Het liefst een klein jongetje, dat jouw verdriet om Joep hopelijk een beetje zal kunnen verzachten."

„Je bent een schat om juist dat te zeggen," bromde Dinand aangedaan. Hij slaakte een zucht en ging verder. „Joep zal altijd een zeer speciaal plekje in mijn hart blijven innemen. Ik hoop dat Jolanda heimwee zal krijgen naar Nederland en dat ze snel een keer overkomt. Dan zal ik hem tenminste zien en kunnen aanraken, dat kereltje waar ik het moeilijk zonder kan stellen."

„Ik weet hoe erg jij je zoon mist en dat is één van de redenen waarom ik voorgoed bij je wil zijn. Want dan kan ik je tenminste troosten als dat nodig mocht zijn." Vera zond hem een blik vol medelijden, die Dinand gehaast deed zeggen: „Ik mag me schamen dat ik me bij jou zit te beklagen! In plaats van achterom, moet ik vooruitzien, naar het goede dat jij me beloofde. Door met jou te trouwen, lieveling, zal ik een overgelukkig mens worden! Wanneer is het zo ver?"

Vera schoot in de lach. „Ja, toe nou zeg! Ik ben toch warempel geen haaibaai die alles wel eventjes in haar eentje regelt? Een trouwdatum prikken we samen, zoals we voortaan alles samen zullen doen en delen. Daar verlang ik naar. Ik snap, achteraf bezien, niet waarom ik het almaar voor me uit schoof."

„Alle goede dingen komen langzaam," opperde Dinand berustend. „Kom, we gaan de auto uitladen en daarna krijg je een lekker bakkie koffie van me!"

Toen de auto leeg was en de hal volstond, vroeg Dinand verbaasd: „Wat heb je wel niet allemaal meegenomen?"

Vera wees op de vele tassen. „Daar heb ik het merendeel van mijn kleren in gestopt. De dozen zitten vol dierbare herinneringen aan mam. Het zijn spulletjes van haar waar ik geen afstand van kan doen en die hier in jouw huis een plekje moeten krijgen."

„Jij moet voortaan over óns huis spreken," waarschuwde Dinand, „en vanzelfsprekend moet jij er een eigen stempel op drukken door het naar jouw smaak in te richten. Daar laat ik je helemaal vrij in!"

Ze zaten achter de koffie toen Dinand haar van opzij aankeek. „Ik hoef niet te vragen of het je moeilijk valt afstand te doen van het huis waar je in bent opgegroeid, want daar kan ik me zo wel het nodige bij voorstellen. Jij moet verlies lijden en ik krijg almaar meer en meer."

„Jij krijgt waar je allang recht op hebt; dat ik dat niet eerder inzag, is alleen maar dom. Maar je hebt gelijk, want dat er straks vreemden in mijn huis zullen wonen, daar wil ik liever nog niet aan denken. Ik heb al aan Cas en Andra verteld dat ik bij jou intrek. Ze schrokken er niet van; ze gaven me meteen groot gelijk! We hebben afgesproken dat we aanstaande maandag een makelaar benaderen. Die kan dan de prijs vaststellen en het huis in de verkoop aanbieden. We laten een opkoper komen voor de meubels, de vloerbedekking, de gordijnen, kortom de hele inrichting. Zie je dat ik nergens meer aan twijfel en de koe al stevig bij de horens heb gevat?" besloot ze lachend.

Dinand knikte. „Jij hebt van de week bepaald niet stilgezeten, maar ik vind het minder leuk dat je het allemaal achter mijn rug om hebt gedaan. We hebben nota bene elke avond met elkaar gebeld, maar jij zei niks! Nu vraag ik me af of jij je baan bij het uitzendbureau soms ook al hebt opgezegd. Het zou me al niet meer verbazen!"

Vera vertelde dat dat inderdaad het geval was. „Ik kon het je niet allemaal door de telefoon vertellen, ik wilde het als een verrassing bewaren tot ik het persoonlijk aan je kon zeggen. Het komt erop neer dat ik werkloos ben en dat mag van mezelf niet lang duren. Ik zal moeten solliciteren. Het kan echter ook zijn dat ik me die moeite kan besparen. Ik heb namelijk al een bepaald adres op het oog waar ik me verschrikkelijk graag nuttig zou willen maken!"

De ondeugende blik in haar ogen vertelde Dinand voldoende. Hij knikte goedkeurend en zei bedachtzaam: „Wat is er nou mooier dan als man en vrouw samen de zaak te runnen. Vroeger deed Jolanda de administratie; na haar vertrek moest ik de hele papieren rompslomp er zelf bij doen. Bruin kan het niet trekken; mijn schoonmaakbedrijfje is te klein om extra personeel aan te nemen. Ik moet het doen met een paar flinke krachten die er elke morgen op uittrekken om her en der schoonmaakklussen te verrichten. Ik kan er goed van rondkomen, maar rijk zal ik er niet van worden! Mocht dat jou afschrikken, dan kun je nu nog terug!" Dinand had dat laatste als een grap bedoeld en lachte, maar Vera ging er ernstig op in. „Rijkdom zit niet in geld of goed, Dinand! Ik bood mijn diensten daarnet niet aan met de bedoeling een vet maandsalaris bij jou te kunnen vangen. Ik kom overigens niet met lege handen. Ik heb spaargeld en daar komt de verkoop van het huis nu nog bij. Samen zullen wij het financieel ruimer hebben dan ieder voor zich, zoals tot nog toe."

„Daar heb ik nog niet bij stilgestaan, maar je hebt gelijk!" Met een blik op de klok stelde hij voor: „Ben jij het met mij eens als ik zeg dat het tijd voor een wijntje wordt?"

Daar zei Vera geen nee op en vervolgens kwam zij met een voorstel. „Zullen we tante Emma vragen of zij een glaasje met ons mee wil drinken? Dan kunnen we haar het grote nieuws meteen vertellen?"

„Als jij voor de drankjes zorgt, haal ik mijn buurvrouw op!" Kort hierna vielen Vera en Dinand elkaar uit louter enthousiasme voortdurend in de rede en Emma luisterde met stijgende verbazing. Maar toen Vera haar uitleg besloot met de vraag: „Hoe vindt u het, tante Emma, dat u straks niet alleen een buurman, maar ook een buurvrouw zult hebben?" hoefde Emma geen moment na te denken. „Het is het mooiste nieuws dat ik sinds tijden heb gehoord," zei ze ontroerd. Ze liet er in alle nuchterheid op volgen: „Maar wanneer jullie getrouwd zijn, Dinand, zul jij mij ook tante Emma moeten noemen!" Dinand gaf lachend te kennen dat hij daar geen moeite mee zou hebben. Hij zei erachteraan: „Heeft u zich al gerealiseerd dat u voortaan alleen nog maar voor uzelf hoeft te koken?"

„Zo ver zijn mijn gedachten nog niet gegaan, maar het is natuurlijk niet meer dan logisch!" Emma had het vol overtuiging uitgesproken, maar toch meende Vera een zweem van teleurstelling op haar gezicht te zien. En die deed haar hardop bedenken: „We kunnen het patroon ook omdraaien! Wat let u, tante Emma, om gezellig bij ons te eten? Wij eten weliswaar 's avonds warm, maar daar zult u dan even aan moeten wennen."

Emma glimlachte. „Jouw lieve zorg ontroert me, maar ik kan je aanbod vanzelfsprekend niet aannemen. Jullie jonge mensen hebben recht op privacy. Ik moet er niet aan denken dat ik die zou verstoren. Ik red me heus wel, hoor! Ik word ouder en mocht er iets met mij gebeuren dan hoop ik dat ik een beroep op jullie zal mogen doen. Verder moeten jullie gewoon je eigen gangetje gaan. Zo wil ik het en zo gebeurt het," besloot ze met een stem die geen tegenspraak duldde.

Vera kon niet anders doen dan haar schouders ophalen. Emma sneed zeer welbewust snel een ander onderwerp aan. Ze richtte zich tot Dinand. „Jij vertelde me onlangs dat je Joep een cadeautje voor zijn verjaardag had gestuurd. Heb je daar eigenlijk wel antwoord op gekregen?"

Emma's vraag kon bij Vera geen verwondering opwekken; zij was er allang van op de hoogte. Hetzelfde gold voor Dinands antwoord. „Jazeker! Behalve dat Jolanda een tekening opstuurde die Joep speciaal voor mij had gemaakt, heeft ze gebeld. Toen kreeg ik Joep ook even en mocht ik zijn stemmetje weer eens pappa horen zeggen. Een aantal weken geleden is hij zes jaar geworden, mijn zoon..." Hierna verontschuldigde Dinand zich door het te doen voorkomen dat hij naar het toilet moest.

Vera vond het niet prettig dat tante Emma zo volkomen onverwacht over Joep was begonnen. Zijzelf had er echter geen idee van dat ze Dinand ongewild in verlegenheid had gebracht. Volkomen argeloos praatte Emma dan ook verder. „Heel in het begin heb ik Jolanda vaak genoeg fel veroordeeld, maar de laatste tijd prijs ik het in haar dat ze Dinand stipt op de hoogte houdt van het wel en wee van zijn zoon. Omwille van Joep staan Jolanda en Dinand niet als vijanden tegenover elkaar en dat feit geeft Dinand de moed om zijn ex-vrouw te bellen als zijn verlangen naar Joep te hevig wordt. Of wist je dat al?"

Vera glimlachte. „Ja, tante Emma, Dinand en ik hebben geen geheimen voor elkaar. Dinand heeft Jolanda's telefoonnummer al zo vaak genoemd dat ik dat zowat uit mijn hoofd ken. En de tekeningen van Joep met de kinderlijke krabbels eronder heb ik allemaal al bewonderd."

„Ach ja, dat zal ook wel. Dom van mij te veronderstellen dat Dinand iets dergelijks alleen aan mij zou toevertrouwen."

Dinand was in een ommezien terug; hij had zichzelf weer helemaal in de hand. Toen hij vroeg of Emma nog een wijntje luste, zei zij gehaast: „Nee, hoor jongen, dank je wel. Ik heb aan één glas meer dan voldoende. Ik stap trouwens weer op!" Ze voegde de daad bij het woord en stond op. Voordat ze het vertrek verliet, kon ze echter niet nalaten aan Vera te vragen: „Ik ga morgenmiddag naar Hester. Als je met me meegaat, zou ik dat zeer op prijs stellen."

Over claimen gesproken, schoot het door Vera heen. Ze sloeg haar ogen op naar Emma en zei: „Ik kan het u nog niet beloven, maar als ik met u meega, hoort u het tijdig."

Emma knikte. „Dan wil ik jullie bedanken voor het vertrouwelijke gesprek. Het geeft me een goed gevoel dat jullie me in je toekomstplannen hebben betrokken. Want een oud mens als ik wil liever niet op een zijlijn komen te staan. Nou, voor straks alvast welterusten en dan zien we morgen weer verder."

„Met dat laatste doelde ze op Hester," zei Vera toen de deur achter Emma was dichtgevallen, „maar ik zal haar moeten teleurstellen. Ik weet nu al dat ik morgen geen zin heb om aan het bed van Hester te staan. Of is dat raar...?" Op haar vragende blik zei Dinand: „Nee, natuurlijk niet. Het kan toch niet zo zijn dat als je tante met haar vingers knipt, jij meteen in de houding zou moeten springen! Maar wat mij betreft, zou je met haar mee kunnen gaan, want ik moet morgenmiddag toch zeker een paar uur aan mijn boekhouding besteden. Ik ben hopeloos achteropgeraakt en dat bewijst hoe hard ik jouw hulp nodig heb!"

„Misschien kun jij me dan morgen alvast een beetje inwerken! Dat lijkt mij nuttiger dan een bezoek brengen aan iemand die toch niet beseft of je er wel of niet bent. Goed beschouwd leeft Hester al niet meer, maar wij gaan samen een heel nieuw en sprankelend leven tegemoet. Samen, alleen al dat ene woordje heeft voor mij een warme, veelbelovende klank."

Dinand lachte in haar glanzende ogen. „Jij hebt me vandaag ontzettend veel beloofd; denk je het allemaal te kunnen waarmaken?"

„Moet jij maar eens opletten!" zei Vera. Ze beloofde hem er meer mee dan Dinand op dat moment kon bevroeden.

13

Over precies vier weken, op vijftien februari, zou de grote dag voor Vera en Dinand aanbreken. Ondertussen hadden ze niet stilgezeten en waren de meeste voorbereidingen al getroffen. De trouwkaarten waren verstuurd en daar lazen de genodigden op dat ze van harte welkom waren in een hotel in de stad Groningen, waar het aanstaande bruidspaar een klein zaaltje voor de receptie had afgehuurd. Hoewel ze zich inmiddels al niet vreemd meer voelde in Rotterdam, was het een lieve wens van Vera in haar geboortestad te trouwen. „De kerk die ik van kindsbeen af bezocht met pap en mam, is me vertrouwd en dat geldt zeker voor de predikant. Hij moet ons huwelijk inzegenen. Voor mijn gevoel kan hij niet door een voor mij vreemde dominee worden vervangen." Vanzelfsprekend had Dinand zich met liefde bij haar wens aangesloten. Hij kende haar en kon dus met zekerheid zeggen: „In Groningen zul jij je op de dag van je leven even weer helemaal thuis voelen en dat is precies wat jij nodig zult hebben."

Omdat Vera haar huis inmiddels al had verkocht, hadden Cas en Andra spontaan aangeboden dat het bruidspaar én tante Emma bij hen konden komen logeren. Onderling was afgesproken dat ze de veertiende februari, een dag van tevoren, naar Groningen zouden komen. Vervolgens zouden ze op de zestiende, de dag na hun trouwen en dan dus als man en vrouw, naar Rotterdam teruggaan.

Met de verkoop van haar huis had Vera ongelooflijk veel geluk gehad. Ze had destijds een makelaar in de arm genomen en nadat de man het huis had getaxeerd en de prijs had vastgesteld, had hij gezegd dat hij naar alle waarschijnlijkheid al een koper wist. Het betrof een jong stel waarvan de vrouw haar hele leven in de buurt had gewoond en nu dicht bij haar moeder wilde blijven. Moeder en dochter waren samen wezen kijken en ze waren meteen dolenthousiast geweest. Een week erna al hadden ze van de makelaar gehoord dat het huis verkocht was. „Het is werkelijk uniek," had hij gezegd, „ik heb niet eerder meegemaakt dat een huis verkocht werd zonder dat het officieel in de verkoop heeft gestaan!"

Het had Vera niet onberoerd gelaten toen er een opkoper kwam die de inboedel kwam weghalen. Ze had een pijnlijke brok in haar keel gevoeld, die ze echter dapper had weggeslikt door te bedenken dat het niet anders kon. In een bepaalde situatie moest een stukje verleden, hoe dierbaar ook, plaatsmaken voor een nieuwe toekomst.

Dinand had Vera in verlegenheid gebracht toen hij op een keer te kennen had gegeven dat hij een huwelijksreisje helemaal zag zitten. „Vanwege de zaak zal het een kort reisje moeten worden, van hooguit een week, maar daar kunnen wij dan later met voldoening op terugzien!" Hij had niet geweten hoe hij het had toen Vera erop antwoordde: „Het spijt me voor jou, maar ik wil niet op huwelijksreis. Niet omdat ik dwars wil liggen, maar gewoon... omdat het niet kan." Op Dinands nietbegrijpende blik had ze onwillig en blozend tegelijk, gezegd: „Je moet er niet over blijven doordrammen, maar het heeft alles te maken met het cadeautje dat ik voor je heb. Dat moet een verrassing blijven. Dát snap je toch zeker wel!"

„Ik heb vanzelfsprekend ook een verrassing voor jou," had Dinand gezegd, „maar dat blijft er even mooi en spannend om als ik het jou in Parijs of in Londen geef, om maar wat te noemen. Ik zie niet in waarom dat niet zou kunnen gelden voor de verrassing die jij voor mij in petto hebt!"

„Van mijn cadeautje kun jij alleen thuis genieten. Verder kan ik er niks over zeggen en jij moet erover ophouden. Wij gaan níét op huwelijksreis, punt uit!"

Dinand had haar in stilte een kleine kattenkop genoemd,

die bij tijd en wijle per se haar zin wilde doordrijven. Vrouwen... had hij hoofdschuddend bedacht.

Dit weekeinde logeerden Vera en Dinand bij Cas en Andra. Ze waren zaterdag tegen de middag gearriveerd en na de lunch lieten de vrouwen de beide mannen alleen en gingen zij de stad in om voor Vera een bruidsjapon te kopen. In die waan had Vera iedereen gelaten, totdat ze in de stad tegen Andra zei: „Ik wil geen bruidsjurk, ik geef de voorkeur aan een sjiek broekpak. Het is hartje winter wanneer ik trouw en ik ben echt niet van plan in zo'n kanten gewaad te lopen kleumen. Bovendien zal ik stukken goedkoper uit zijn en dat feit mag ik niet uitvlakken."

Andra keek haar van opzij stomverbaasd aan. „Alsof jij op de kleintjes zou moeten letten! Doe even normaal, zeg!"

„Toch blijf ik bij mijn besluit. Voor Dinand hoef ik het niet te laten; het maakt hem niet uit wat ik die dag draag."

Andra lachte. „Daar zeg je wat! Cas en ik waren erbij toen Dinand onlangs zei dat hij jou in het allerlelijkste trainingspak de mooiste bruid ter wereld zou vinden. De bedoeling erachter is vreselijk lief; verder was het van zijn kant slechts een grapje. En dat weet jij!"

„En jij moet niet langer zeuren, want ik doe toch wat ik zelf wil!" Ze wees op een modezaak iets verderop in de straat. „Daar wil ik even rondneuzen. Het is een fijne zaak. Toen ik hier nog woonde, slaagde ik er altijd."

Dat bleek nu ook het geval, want toen ze de winkel na een uurtje van zoeken en passen verlieten, was Vera in haar nopjes met het zwarte broekpak, waar ze een zachtblauwe zijden blouse bij had gekocht. Buiten gekomen bedisselde ze: „Nu gaan we eerst ergens gezellig koffie drinken en daarna moeten we op zoek naar een leuke hoed, handschoentjes en schoenen met een hakje."

Kort hierna zaten ze in een gezellige gelegenheid aan een tafeltje achter de koffie en oordeelde Vera: „Ik zie aan je gezicht dat jij mijn aankoop niet op prijs kunt stellen. Maar er mankeert toch niets aan het pak? Het stond me hartstikke leuk, vind ik zelf."

„Dat is ook zo. Maar naar mijn smaak, zul jij op je trouwdag van geen kant op een bruid lijken. En dat alleen vanwege zuinigheid, want in de zaak waar we net waren, opperde jij hardop dat je er misschien wel duizend euro mee had uitgespaard."

„Nou, dat is toch ook zo? Maar jij vergeet nu blijkbaar dat het niet alleen met het geld, maar ook met het weer van doen heeft. Of ben je vergeten dat ik niet wil lopen verkleumen?"

Daarop zei Andra wrevelig: „Je zit gewoon dom uit je nek te kletsen! Wil je soms vanwege je plotselinge zuinigheid ook niet met Dinand op huwelijksreis? Toen Dinand ons dat vertelde, wisten Cas en ik niet wat we hoorden. We veroordelen jou erom en voor Dinand vinden wij het sneu dat jij je zo koppig en eigengereid opstelt. Wat heb jij de laatste tijd toch? Je bent zo anders dan wij van je gewend zijn?"

Tot Andra's verwondering bloosde Vera zowat tot in haar haarwortels. „Laat me nou, Andra... ik weet heus wel wat ik doe en dat het zo goed is..."

Nu stelde Andra ter plekke vast: „Jij verbergt iets voor mij! Mag ik je eraan helpen herinneren dat wij hartsvriendinnen zijn en dat die elkaar álles horen te vertellen!? Kom op, Vera, tegen mij moet je zeggen waarom jij je zo merkwaardig gedraagt!"

Vera trok onwillig met haar schouders, maar toen ze de tijd had genomen om erover na te denken, bekende ze: „Ik zou het eigenlijk wel graag met iemand willen delen. Want waar ik al een hele tijd mee bezig ben, is echt verschrikkelijk spannend. Beloof je me bij voorbaat dat je het tegen niemand zult vertellen, zelfs niet tegen Cas...?"

Andra beloofde met de hand op haar hart te zullen zwijgen en na nog een aarzeling boog Vera zich over het tafeltje naar haar vriendin over. „Ik heb heel erg met Dinand te doen. Hij mist Joep meer dan iemand van ons zich kan voorstellen. Ik ken hem als geen ander en weet dat Dinand op wat ook voor hem de grootste dag van zijn leven moet zijn, stil verdriet zal lijden. Juist die dag zal hij zijn zoontje verschrikkelijk missen en daar zat ik zo mee dat ik er halve nachten van wakker heb gelegen. Op den duur kwam ik tot de slotsom dat ik Dinand slechts op één manier zou kunnen helpen. Toen heb ik de knoop resoluut doorgehakt en op een middag toen Dinand voor zaken van huis moest, heb ik zijn ex-vrouw Jolanda gebeld. Ik heb me aan haar voorgesteld als Dinands toekomstige vrouw, maar daar had Dinand haar al over ingelicht. Vervolgens heb ik haar verteld waar bij mij de schoen wrong en gevraagd of zij alsjeblieft met Joep over wilde komen, zodat Dinand hem op zijn trouwdag bij zich kon hebben. Uiteraard heb ik gezegd dat ik de kosten voor de tickets aan haar zou vergoeden. Nu begrijp jij hopelijk waarom ik plotseling zo zuinig moest zijn!" Onder de indruk maakte Andra slechts een afwezig hoofdknikje. Vera ging verder: „Jolanda — ze kwam bij mij over als een aardig mens — kon mij vanzelfsprekend niet op stel en sprong een belofte doen. Ze zei ontzettend veel begrip voor de kwestie te hebben en vroeg of ik haar over een paar dagen terug wilde bellen. Vanwege Dinand moest ik daar een onbewaakt moment voor uitkiezen. Toen dat zich voordeed, zei Jolanda dat het haar speet voor Dinand, maar dat zij om financiële redenen niet een-twee-drie naar Nederland konden komen. Ik zag mijn plan subiet in het water vallen, maar tot groot geluk vertelde Jolanda dat zij en haar vriend daarginds lid waren van een Hollandse club. Op hun eerstvolgende bijeenkomst had zij aan deze en gene de kwestie voorgelegd en stomtoevallig bleek er een echtpaar aanwezig te zijn dat begin februari voor familiebezoek naar Nederland ging. Zij hadden spontaan aangeboden dat Joep gerust met hen mee mocht reizen. Ik kon mijn geluk niet op en toen Jolanda mij het telefoonnummer van die mensen gaf, heb ik hen gebeld zodra er zich een veilige gelegenheid voordeed. Toen werd mij verteld dat zij drie weken in Nederland zouden blijven. Ze kwamen over voor een begrafenis en je gelooft het vast niet, maar ze logeren in die tijd bij familie in Groningen! Kan het mooier? Is het niet geweldig?" Vera bloosde van opwinding en nog steeds onder de indruk verzuchtte Andra: „Tjonge, ik weet niet wat ik hoor! Wat ontzettend lief van je om dit voor Dinand te doen! Maar hoe gaat het nu vervolgens? Moet jij Joep van een bepaald adres halen?"

Vera schudde van nee. „Meneer en mevrouw Zandstra, rasechte Groningers en werkelijk superaardige mensen, komen Joep tegen het eind van de receptie persoonlijk naar het hotel brengen! We hebben afgesproken dat ik daarvóór een keer naar hen toe kom om kennis met hen, maar vooral met Joep te maken. Dan kan ik ook meteen met hen afrekenen, want het is natuurlijk niet de bedoeling dat zij voor mijn plezier extra onkosten moeten maken. Ze gaven trouwens eerlijk toe dat ze dat niet konden trekken."

„Het is werkelijk geweldig," zei Andra, „maar ik begrijp alleen niet dat Joep pas tegen het eind van de receptie wordt gebracht. Waarom niet veel eerder? Dan zou hij mee naar de kerk kunnen en noem maar op?"

„Jawel, maar dat leek mij nu juist minder geslaagd. Ten eerste voor Joep, want stel je eens voor hoe verloren dat jochie zich zal voelen tussen allemaal vreemde mensen. Bovendien weet ik wel zeker dat als Dinand wist dat Joep in de kerk aanwezig was, hij alleen oog en oor voor zijn zoon zou hebben. En ik wil toch wel graag dat hij iets van de preek mee zal krijgen en dat hij de nodige aandacht aan mij zal kunnen schenken. Nee, ik voel voor mezelf dat het zo goed is." Ze keek Andra vragend aan en wilde toen weten: „Begrijp je waarom ik geen zin had in een huwelijksreisje…?"

„Ik kan je nu alleen maar groot gelijk geven! Dinand zal immers nergens zo volop van zijn zoon kunnen genieten als in zijn eigen huis! Ik zou het gezicht van Dinand wel willen zien als Joep opeens binnen komt stappen!"

„Aan mijn hand," zei Vera bewogen. „Ik zal zijn kleine zoon bij hem brengen en daar verheug ik me verschrikkelijk op. Je mag gerust van me weten dat ik ermee naar bed ga en ermee opsta..."

„Logisch, zou ik ook doen." Andra lachte toen ze verder ging. „Ach heden en dan te bedenken dat Dinand zich zorgen over jou zit te maken! Hij heeft onlangs tegen Cas gezegd dat jij de laatste tijd erg afwezig bent en dat hij bang is dat jij, ondanks je liefde voor hem, tegen het huwelijk opziet. Hoe vind je dat?"

„Ik weet het. Dinand vraagt me herhaaldelijk en overbezorgd wat er met mij aan de hand is. En ik kan niets zeggen. Ik heb mezelf een zwijgplicht moeten opleggen. Ik wil Joep graag leren kennen, maar tegelijkertijd vraag ik me bezorgd af of hij mij naast zijn vader zal dulden. Is dat niet het geval, dan zouden het moeilijke in plaats van mooie dagen kunnen worden. Toch...?"

„Jij moet proberen alleen naar het goede uit te kijken," adviseerde Andra. „Een blik in de toekomst mogen werpen is nu eenmaal voor geen van ons, stervelingen, weggelegd. Ik hoop voor jou dat de resterende tijd voorbij zal vliegen; de spanningen moeten jou onderhand boven het hoofd groeien!"

Daarop zei Vera doemdenkerig: „Het duurt nog vier weken. Hoe kom ik die in vredesnaam door?"

Toen de trouwdag dan eindelijk aanbrak, drukte Vera's geheim voor Dinand zwaarder dan ooit op haar schouders. En dat kwam louter door het feit dat zij Joep inmiddels een paar keer had gezien en gesproken. Het kostte haar onmenselijk veel moeite. Ze moest al haar wilskracht benutten om niet tegen Dinand te zeggen dat zijn zoon een heerlijk, spontaan jongetje was, dat zij allang in haar hart had gesloten.

Vera moest vooralsnog blijven zwijgen, maar deze ochtend sprak ze zichzelf moed in door te bedenken dat zij de uren nu kon tellen en dat het niet lang meer zou duren voordat ze verlost werd van haar zelfopgelegde zwijgplicht.

Zopas in het stadhuis hadden Vera en Dinand elkaar het jawoord gegeven. Nu lieten ze zich in de witte trouwauto naar de kerk brengen. Dinand keek haar van opzij bezorgd aan. En omdat hij niet wilde dat de chauffeur hem zou kunnen verstaan, dempte hij zijn stem tot fluisteren. „Je bent nog steeds tot het uiterste gespannen. Ondanks je make-up zie je er bleek van. Je twijfelt toch hopelijk niet aan mij, Vera…?"

Zij wist niet hoe snel ze hem een kus moest geven, waarna ze net als hij fluisterde: „Jij hoeft je om mij geen zorgen te maken! Jawel, ik ben stiknerveus, maar dat hoort er voor een bruid kennelijk bij. Hoe zou ik aan jou kúnnen twijfelen, lieve schat, als ik zo verschrikkelijk veel van jou houd?" Nadat ze hem andermaal had gekust, sneed ze snel een ander onderwerp aan. „Ik ben verschrikkelijk blij met de prachtige halsketting die ik van je kreeg!"

Dinand keek haar vol vertedering aan. „Ik vind het kostelijk dat jij vergeten bent mij het cadeautje te overhandigen dat je mij hebt beloofd!" Dinand lachte, Vera bloosde. „Ja, stom, nietwaar…? Maar ja, wat in het vat zit, verzuurt niet, moet je maar denken…"

Kort hierna, in de kerk, kreeg Vera het eventjes te kwaad. In het stadhuis waren haar gedachten bij Joep geweest, nu dacht ze verdrietig: als jij nu bij me kon zijn, mam, zou ik optimaal gelukkig zijn. Ik mis je nog steeds…ik hield zo verschrikkelijk veel van je. Bedankt, mam… voor al het goede dat jij en pap me gaven… Vera moest haar zakdoekje gebruiken, maar zij was niet de enige die haar ogen niet droog kon houden. Emma's gemoed schoot vol toen haar gedachten naar Hester dwaalden: jij ligt daar maar te liggen, word toch wakker, lieverd. Het zou mij zo goed doen als jij met eigen ogen zou kunnen zien hoe goed allebei je kinderen terecht zijn gekomen. Ach meisje... ik heb zo met je te doen. Zoals Vera werd getroost door Dinand, zo nam Cas een hand van Emma in de zijne en drukte die bemoedigend.

Ondanks de emoties ging het belangrijkste van de preek niet aan hen voorbij. Vera wist dat zij er nog vaak aan terug zou denken en bij het verlaten van de kerk bedankte zij de predikant voor zijn gevoelige, diepgaande woorden.

De receptie werd niet overmatig druk bezocht, maar dat kwam doordat Dinand en Vera niet meer uitnodigingen hadden verstuurd dan zij wenselijk achten. „Het moet een knus onderonsje worden," had Vera destijds bedongen. Dinand wist niet beter dan dat zij om dezelfde reden had bedisseld dat er tijdens het diner geen vreemden aanwezig zouden zijn. Hij had haar visie opmerkelijk gevonden, maar had dit voor zichzelf gehouden.

Ondanks de kleinschalige opkomst liet de sfeer niets te wensen over. Er werd druk gepraat en dat iedereen zich goed vermaakte, bewezen de vele lachsalvo's. Omdat zij er bewust op lette, zag alleen Andra dat Vera herhaaldelijk een heimelijke blik op haar horloge wierp. En dan eindelijk was het zo ver en kreeg zij, zoals van tevoren afgesproken, een heimelijk, onopgemerkt seintje van een van de obers. Als bedankje zond Vera de man een hoofdknikje en vervolgens stond ze op. En nadat ze een moment stilte had gevraagd, richtte ze zich tot Dinand. Haar stem was niet helemaal die van haarzelf toen ze na een nerveus kuchje tegen hem zei: „Jij hebt nog een cadeautje van mij tegoed en dat ga ik nu halen. Ik wil graag dat iedereen gaat zitten en dat jij gaat staan, Dinand...!"

Hij staarde haar stomverbaasd aan, maar deed werktuigelijk wat er van hem verlangd werd. Toen verliet Vera op een drafje de zaal. Op de gang werd ze opgewacht door de ober die haar daarstraks het bewuste seintje had gegeven. Hij bracht haar naar een vertrek waar het echtpaar Zandstra en Joep vol spanning op haar zaten te wachten. Vera omvatte met beide handen het gezicht van Joep en nadat ze hem had gekust, zei ze: „Het is zo ver, jouw pappa staat te wachten, maar hij weet niet op wie of wat. Spannend voor hem, hè...?"

„Ja, maar dat moet ook, want dat hadden wij afgesproken!" In één adem liet hij erop volgen: „Daarnet moest ik plassen en toen heb ik heel stiekem om het hoekje van de zaaldeur gekeken. Ik kon pappa niet zo gauw ontdekken, maar ik zag wel allemaal andere mensen. Moet ik die zo dadelijk allemaal een hand geven?"

Vera las van zijn gezicht af dat hij daartegen opzag en stelde hem snel gerust. „Nee hoor, jij hoeft alleen je pappa een heel dikke kus te geven, want dat zal hij fijn vinden!" Hierna keerde ze zich naar meneer en mevrouw Zandstra. „Gaat u mee naar binnen? Dan kunt u kennismaken met Dinand en kan ik u een hapje en een drankje aanbieden?"

Voordat zijn vrouw haar mond open kon doen, nam Eppo Zandstra het woord. „Het is vriendelijk aangeboden, maar wij gaan liever meteen weer naar ons logeeradres. Wij zijn overigens niets tekortgekomen; we werden tijdens het wachten prima verzorgd! We houden telefonisch contact en als de tijd er voor ons op zit, brengen jij en je man ons naar Schiphol. Ik neem tenminste aan dat dat aanbod van jou geldig blijft?"

„Daar kunt u op rekenen, maar voordat het zo ver is, zou ik toch wel heel erg graag willen dat jullie een keer bij ons op de koffie komen. Zoals u al aangaf, kunnen we daar telefonisch een afspraak voor maken. Het is geweldig dat Joep met jullie mee mocht reizen, maar dat heb ik al meer dan eens tegen u gezegd. Zal ik hem dan nu van u overnemen?"

Met een warme handdruk en een spontane kus op beide wangen namen ze afscheid.

Met een kleine jongenshand in die van haar zei Vera, terwijl ze op het zaaltje toeliepen: „We blijven straks eventjes in de deuropening staan, zodat het tot jouw pappa door kan dringen wat er gebeurt. Daarna lopen we samen naar hem toe. Goed?"

Het ventje knikte en zei bedremmeld: „Ja, maar als ik nou moet huilen omdat ik pappa al zo heel lang niet meer heb gezien...?"

„Dan droogt je pappa jouw traantjes. Kom maar, niet bang zijn..."

Zo probeerde ze Joep te troosten, maar toen ze de deur opende, voelde ze haar eigen hart in haar keel bonzen.

Dinand durfde zijn ogen niet te geloven. Als in trance staarde hij verdwaasd naar het knulletje naast Vera. Pas toen zij met Joep aan haar hand naar hem toe kwam en ze bewogen zei: „Dit is mijn verrassing voor jou," keerde Dinand terug in de werkelijkheid. Hij hurkte voor zijn zoon neer en aangeslagen zei hij schorrig: „Joep... mijn grote kleine kerel... ben jij het echt?"

Iedereen raakte geëmotioneerd door de dunne jongensstem. „Ik was bang dat ik zou moeten huilen en nu doe jij het! Ben je zo blij pappa, dat je me ziet?"

Dinand tilde het kind op en drukte hem vast tegen zijn borst. „Of ik blij ben, vraag je... Jij maakt mijn dag zonovergoten. Dat ik je kan zien en aanraken... dat ik je pappa hoor zeggen... Je weet niet half hoeveel dit me doet." Hij overlaadde het jongensgezichtje met kussen en vervolgens zocht en vond hij Vera's blik. „Dank je wel, lieveling, voor dit kostbare cadeau...!"

Later, toen iedereen zijn of haar emoties weer wat onder controle had, vertelde Vera hoe zij deze verrassing voor hem tot stand had weten te brengen. Met Joep op zijn schoot hing Dinand aan haar lippen. Vera besloot haar uitleg met:

„Snap je nu waarom ik de laatste tijd niet helemaal mezelf kon zijn? De spanningen waren mij maar al te vaak de baas en het kostte me verschrikkelijk veel moeite mijn mond tegen jou te houden. Maar het is me gelukt, alles is keurig volgens mijn draaiboek verlopen!" Vera glunderde niet zonder zelftrots. Dinand zei uit de grond van zijn hart: „Je bent groots. Dit zal ik mijn leven lang niet vergeten."

Joep had zich ondertussen van zijn vaders schoot laten glijden; hij zat nu op een stoel aan een tafeltje en peuzelde met smaak een taartje op dat Andra voor hem neer had gezet.

Bij Joeps verschijning liep de receptie al ten einde. Nu voelden de mensen stuk voor stuk aan dat zij overbodig waren. Als afgesproken stelden ze zich in een rij op om afscheid van het bruidspaar en hun familie te nemen.

Toen ze kort hierna onder elkaar waren, sloeg Cas een vragende blik op naar Andra, die zij verstond en beantwoordde. „Ja, ik wist ervan. Maar ik kon het niet aan jou vertellen, want ik had Vera beloofd te zullen zwijgen. Zou jij gewild hebben dan, dat ik mijn woord van eer aan haar had verbroken om jou er een plezier mee te doen?" Ze wachtte zijn antwoord niet af en ging met een blos van opwinding op haar wangen verder. „Is het niet geweldig, Cas, wat Vera allemaal in haar eentje tot stand heeft gebracht?"

Cas knikte en nog onder de indruk zei hij: „Dinand zei daarstraks al en ik kan het alleen maar beamen, dat mijn zusje zich groots heeft gedragen." Hij wees met een hoofdknik op het tafeltje waaraan Vera, Dinand, Joep en Emma zaten. „Ik sta ervan te kijken hoe sprekend Joep op zijn vader lijkt! Ze hebben hetzelfde blonde haar, dezelfde hemelsblauwe ogen. Wat dat betreft, kom ik er bekaaid van af. Ivo heeft meer van jou dan van mij. Mis jij hem ook, onze zoon?"

„Ja, maar hij heeft een uitstekende oppas; we hoeven ons dus geen zorgen om hem te maken."

Tijdens het diner werd Dinand meer dan eens geprezen om zijn schat van een zoon. Dat Joep gezonde oren had, liet hij blijken door te zeggen: „Dat weet ik zelf ook, hoor! En dat komt doordat mamma altijd zegt dat ik haar schat ben. Duurt het nog lang voordat ik weer naar mamma mag?" liet hij er kinderlijk naïef op volgen. Daarop keek iedereen geschrokken naar Dinand, maar hij glimlachte. „Ik ben me er zeer wel van bewust dat ik hem slechts tijdelijk onder mijn hoede mag hebben. Hij kan het niet zonder zijn moeder stellen en dat is voor mij alleen maar een gunstig teken. Het betekent immers dat Jolanda een goede moeder voor mijn zoon is; anders zou Joep niet nu al te kampen hebben met heimwee naar haar."

Alsof Joep dit grote-mensen-gepraat allemaal meekreeg, zo nestelde hij zich vertrouwelijk tegen Dinand aan. „Ik houd ook heel veel van jou, hoor pappa! En als ik weer thuis ben bij mamma, moet ik misschien toch wel een beetje om jou huilen. Want als ik in bed lig, mis ik jou soms zomaar heel erg…!"

Hiermee raakte het kind bij Dinand een gevoelige snaar. Hij moest alle mogelijke moeite doen om zijn emoties voor de anderen te verbergen. Hetgeen mislukte, want terwijl hij Joep liefdevol over zijn blonde kuif streek, ontging het niemand dat zijn ogen zich met tranen vulden.

Een halfjaar later

Deze zaterdagmiddag zat Vera met Lot op haar schoot in de kamer te wachten op Dinand. Hij was zopas naar de stad gegaan om een nieuw mobieltje aan te schaffen. Ze hadden afgesproken dat hij daarna tante Emma zou ophalen en vervolgens zouden ze samen naar Hester gaan. Het is nauwelijks te bevatten, bepeinsde Vera, hoeveel er in de achter ons liggende maanden is gebeurd. Het was zelfs tante Emma niet ontgaan dat Hester de laatste weken almaar magerder werd. Emma had keer op keer verzucht: „Ik maak me gruwelijk veel zorgen om haar. Ze ziet er slecht uit en ze glimlacht niet meer naar me…" Een paar dagen geleden hadden ze het bericht gekregen dat Hester in alle rust was overleden. Tante Emma ging zichtbaar gebukt onder haar verdriet om Hester. En niemand, zelfs de predikant niet, kon haar troosten door te zeggen dat dit voor Hester het allerbeste was. Tante Emma herhaalde in tranen steeds hetzelfde: „Gaandeweg ben ik haar stilletjes voor mezelf gaan beschouwen als mijn dochter, mijn kind… Hoe moet ik nu zonder haar verder? Wie zegt me dat…?"

Dinand had alles voor de begrafenis geregeld. Verder gingen ze elke dag met haar mee naar het kleine kamertje in het verpleegtehuis waar Hester lag opgebaard. Ze deden hun best om er zo veel mogelijk voor tante Emma te zijn, maar haar verdriet konden Dinand en zij helaas niet wegnemen. Hier wierp Vera een blik op de klok en vroeg ze zich af waar Dinand zo lang bleef. Ze kreeg er geen antwoord op en zonder het te willen of te weten liet ze haar gedachten afdwalen van Hester naar Joep.

De logeerpartij van het lieve ventje was alweer een halfjaar geleden, maar Dinand en zij riepen er nog dikwijls dierbare herinneringen aan op. Het waren voor Dinand kostbare weken geweest, waar hij lang op zou kunnen teren, zoals hij zelf verkondigde. De keerzijde van de medaille was dat Joep de hele tijd heimwee naar zijn moeder had gehad. Om het Joep naar zijn zin te maken hadden Dinand en zij hun werkzaamheden regelmatig moeten onderbreken. Ze waren een keer met hem naar de dierentuin in Emmen geweest en naar het Dolfinarium in Hardewijk en zo hadden ze meer leuke uitjes voor hem bedacht. Aanvankelijk hadden ze het opmerkelijk genoemd dat Joep na korte tijd al aangaf dat hij graag naar huis wilde. „Dan kan ik met Lot spelen; dat doe ik liever." Ze waren er al snel achter gekomen dat het een slim uitvluchtje van hem was, want nauwelijks weer thuis sloeg hij een paar smekende blauwe ogen op naar zijn pappa: „Mag ik mamma bellen...?" Het sneed Dinand en haar door hun ziel als ze hem dan aan Jolanda hoorden vragen: „Waarom moet ik hier zo lang blijven, mamma? Ik wil liever bij jou zijn en bij mijn vriendjes, want hier bij pappa heb ik alleen Lot om mee te spelen."

Hun nuchter verstand had hen toentertijd verteld dat het voor Joep een uitkomst was dat er aan zijn logeerpartij een eind kwam. Niettemin kostte het afscheid nemen Dinand de nodige moeite. Toen het zo ver was, had Joep op de luchthaven Schiphol aan de hand van Eppo Zandstra, zowat staan juichen: „Eindelijk, eindelijk mag ik weer naar mamma toe."

Vanzelfsprekend had dat veelzeggende van het ventje Dinand niet onberoerd gelaten. Onderweg naar huis was hij opmerkelijk stil en in zichzelf gekeerd. Hoe overweldigend gelukkig had zij zich gevoeld, mijmerde Vera, toen zij Dinand daadwerkelijk had kunnen troosten. Pas toen ze het voor zichzelf heel zeker wist, had ze tegen Dinand gezegd dat ze zwanger was. „Wij krijgen samen een kindje dat niet af en toe, tijdelijk, maar altijd bij je zal mogen zijn. Ik hoop voor jou dat het net zo'n lief kind wordt als je oudste zoon."

Nooit zou ze de blijde blik in Dinands blauwe ogen vergeten en al evenmin dat ze er van pure blijdschap allebei om hadden gehuild. Vreugdetranen, wat is er mooier dan dat? Ze was ondertussen al vier maanden heen en niet zonder trots zag ze in de spiegel dat haar buik al een klein beetje bolde. Ze wist dat de meeste vrouwen het niet wilden weten, maar zij had niet kunnen wachten tot de geboorte van het kindje. Dinand en zij, ze hadden er allebei geen spijt van dat ze al wisten dat het een meisje werd, voor wie ze ook al een naam hadden bedacht. Ze had zich geschaamd dat ze aanvankelijk de voorkeur aan een jongetje had gegeven, totdat het tot haar was doorgedrongen dat het louter een wens terwille van Dinand was geweest. Toen had ze het schaamtegevoel overboord kunnen smijten en nu was ze overgelukkig met het kleine meisje dat in haar groeide. En dat méér dan gewenst was. Het is niet verwonderlijk, bedacht Vera, het kan niet anders dat Cas en ik dáár meteen aan moeten denken. Toen ze het goede nieuws aan Andra en Cas vertelden, had hij haar de veelzeggende blik toegeworpen die ze van hem had verwacht. „Het doet me meer dan ik zeggen kan dat er ook met liefde en verlangen naar dit nieuwe wereldburgertje wordt uitgezien...!"

Tante Emma had er op haar eigen manier op gereageerd. Hevig ontroerd had zij gezegd: „Ik ga het vanmiddag meteen aan Hester vertellen! Zij moet weten dat ze oma wordt. Het nieuws zal haar goed doen. Misschien schenkt zij mij dan eindelijk weer eens een glimlach; die mis ik de laatste tijd verschrikkelijk erg..."

Arme tante Emma, verzuchtte Vera in medelijden. Op dat moment ging de deur open en toen Dinand binnenstapte, wierp Vera hem een onmiskenbaar bestraffende blik toe. „Waar bleef je nou zo lang! En waarom heb je tante Emma niet meteen opgehaald? Dan zouden we tenminste kunnen gaan!"

„Kun je niet wat minder snel aangebrand doen?" Nu moest Vera van hem eenzelfde blik in ontvangst nemen. „Ik was bij de Primafoon niet de enige die op mijn beurt moest wachten. En toen ik daarstraks bij tante Emma kwam, verliep alles ook niet zoals ik had verwacht. Ze zat in een hoekje van de bank weggedoken. Aan de vuurrode blossen op haar wangen en aan het rillen dat ze deed, zag ik in één oogopslag dat ze ziek was. Ze gaf toe dat ze zich meer dan beroerd voelde en liet zich dan ook gewillig door mij in bed helpen. Ik kon haar echter niet troosten toen ze begon te huilen en snikkend zei dat ze het niet kon verkroppen dat ze nu niet naar Hester kon. Ten einde raad heb ik tegen haar gezegd dat ik jou naar haar toe zou sturen. Ga dus maar gauw en wees erop voorbereid dat ze jou, net als ze mij deed, zal smeken of jij in haar plaats naar Hester wilt gaan!"

Vera zette Lot naast zich op de bank en stond op. „Ik zal kijken wat ik voor haar kan doen. En mocht ik haar ermee kunnen geruststellen, dan ga ik zo dadelijk meteen door naar Hester. Als ik lang wegblijf, weet jij dus waar en bij wie ik ben!"

„Ik waardeer het dat je niet vraagt of ik met je mee wil gaan," zei Dinand. „Ik zou je moeten teleurstellen, want ik kan het even niet opbrengen om alweer bij haar kist te moeten staan."

„Het is voor mij ook niet bepaald een makkie. Ik doe het louter en alleen voor tante Emma." Ze liep op Dinand toe, gaf hem een kus en trok vervolgens de deur achter zich dicht.

Toen ze de trap naar boven beklom van het naastgelegen huis, flitste het door haar heen: was ik daarnet wel eerlijk, ga ik echt alleen om tante Emma te plezieren zo dadelijk naar Hester? Omdat ze haar aandacht aan Emma moest besteden, kreeg Vera niet de gelegenheid om hier lang bij stil te staan.

Ze boog zich over het bed. In haar stem lag medelijden. „Wat is dit nou, bent u zomaar ziek geworden?"

Emma knikte. „Het is een verkoudheid, een griepje denk ik en dat overvalt je inderdaad zomaar. Je hoeft niet meteen zo bezorgd te kijken. Ik zal me al een stuk beter voelen als jij me belooft eventjes naar Hester te gaan. Het is voor mij onverdraaglijk dat er vandaag niemand bij haar zou komen. Doe je het? Voor mij, omdat ik ziek ben?"

Vera lachte. „Slimmerik! Maar het is goed, hoor! Als ik van Hester terugkom, wip ik wel weer even bij u binnen om te zien of u iets nodig heeft. En dan, tante Emma, vertel ik u iets waar u heel erg blij mee zult zijn..." Na die belofte, aan Emma én zichzelf gedaan, verliet Vera het vertrek. Kort hierop startte zij haar auto en reed ze naar het verpleegtehuis.

Op de gang maakte ze een praatje met een van de verpleegkundigen en hierna opende en sloot ze de deur achter zich van een schemerig, halfdonker kamertje. Minuten lang keek ze neer op het stille gezicht in de kist en opeens was het alsof ze de geest van Hester om zich heen voelde. Hoewel het een wonderlijke gewaarwording was, joeg het haar geen schrik aan. Vera vroeg zich bezorgd af of Hester wegens gewetensbezwaren het aardse niet kon verlaten. Ga maar, dacht ze stil en vertrouw op God. Dan komt het altijd goed. Vanwege het rottige leven dat jij vroeger leidde, heb ik je eens en welgemeend toen, een slet genoemd. Daar heb ik spijt van. Ik heb er boete voor moeten doen, waar ik alleen maar heel veel wijzer van ben geworden. Met God ben ik allang weer in het reine gekomen, maar met jou nog niet. Tot dusverre weet alleen Dinand waarom ik mijn kleine meisje bij haar geboorte per se de naam Hesther wil geven. Ja, wij plakken er een h tussen, omdat we dat mooier vinden. Ik mag en wil me niet beter voordoen dan ik ben en daarom moet ik erbij zeggen dat jij de vernoeming van mijn kindje niet moet zien als een eerbetoon aan jou. Met de naam Hesther vereffen ik slechts voor mezelf het laatste restje schuldgevoel jegens jou. Ga nu maar en rust zacht... Hester.

Op de gang hield dezelfde verpleegkundige van daarstraks haar staande. „Het is voor het eerst dat ik jou zie huilen. Ik schrik ervan. Als ik iets voor je kan doen…"

Door een waas van tranen glimlachte Vera dapper. „Het gaat wel… het is alweer over."

Ik weet zelf niet wat er met mij aan de hand is, dacht Vera verdrietig toen zij haar weg door de lange gang vervolgde. Hoe zou jij als buitenstaander dan iets voor mij kunnen doen. Rust zacht, Hester, had ze in gedachten gezegd, terwijl ze had willen zeggen: rust zacht… moeder. Op het laatste nippertje was er onmiskenbaar toch weer een stem uit het verleden geweest die haar belette het woord 'moeder' zelfs in gedachten uit te spreken. Het schrift van tante Emma lag dichtgeklapt, veilig weggeborgen. Maar nu bleek duidelijk dat de inhoud ervan niet uit haar geheugen weggewist kon worden.

In het zuchtje dat aan Vera's lippen ontsnapte, lag zowel berusting als vertwijfeling.